Concita De Gregorio
Cosa pensano le ragazze

Einaudi

Cosa pensano le ragazze

a Bernardo, Lorenzo,
Pietro, Andrea, Alessandro

a Severino

ai ragazzi, quando ci fanno ridere

Parte prima

Golden retriever

Novembre. Sei del pomeriggio. Martedí. Alberta e Margherita studiano chimica.

– Posso dire una cosa che non c'entra?

– Di'.

– Il problema piú che altro è che per fare colpo su un ragazzo devi assecondarlo in quello che dice, dargli ragione, essere sempre d'accordo con lui, farlo sentire importante.

– Sí, quella è una grande tecnica.

– Una palla però. E se non sei d'accordo?

– Stai zitta, fai finta. All'inizio gli dài ragione, poi magari col tempo lo smonti.

– Mmm. Ma secondo te se invece dico subito quello che penso?

– Guarda, le ragazze che parlano troppo mettono ansia. Piú stai zitta e meglio è.

– Ma invece magari faccio una selezione subito.

– Cioè?

– Voglio dire. Quelle con le tette e il culo possono stare con chiunque, e chiunque può stare con loro. Quelle con la «personalità carismatica», con il «carattere» invece hanno bisogno dell'amatore. Uno che ne abbia rispetto, capito come?

– Il rispetto è un concetto a lungo termine. Lí per lí non concludi, col rispetto.

– Va bene ma dico, meglio non concludere con certa gente, no? Cioè fai subito una selezione.

– Non ho capito.

– Una selezione naturale degli uomini che ci sono nella stanza. L'hai visto il documentario sulle cucciolate dei golden retriever?

– No, che dice il documentario.

– Per scegliere il cucciolo migliore si mettono tutti insieme e gli si fa un grande spavento. Ci sono quelli che si nascondono quelli che scappano e di solito ce n'è uno che sta lí fermo. Quello che non si spaventa vuol dire che è il piú forte e te lo porti a casa. È un metodo, no? Se il tipo non si spaventa vuol dire che fa per te.

– Sí, o magari è sordo.

Tigri

Una mattina di novembre del 2002 il padre stava per dare il via alle riprese della nuova puntata della famosa serie tv quando da qualche parte nel giaccone verde, una vecchia giacca da pescatore, squillò il cellulare. Aveva di nuovo dimenticato di metterlo in modalità silenziosa, lo guardò severo l'aiuto regista fermando il set con un gesto. L'attrice approfittò per specchiarsi nel finestrino del camion: tutta quell'umidità le afflosciava i capelli. Il padre tastò con entrambe le mani prima le due tasche sul petto, poi quelle laterali sui fianchi. Aprí la zip del giaccone e cercò nella busta interna di rete, a sinistra, poi finalmente nella cerniera in basso a destra. Nuvole nere e basse toccavano i tetti del Corviale. Numero anonimo. Rispose. La voce metallica e spazientita della segretaria della scuola elementare «Trento e Trieste» lo informava che qualcuno doveva andare a prendere la bambina: si era chiusa a chiave nel gabbiotto delle caldaie, erano riusciti a forzare la porta e farla uscire ma lei adesso si rifiutava di tornare in classe e non parlava con nessuno. Come mai il locale delle caldaie a scuola è accessibile ai bambini e ha una chiave, chiese il padre, la segretaria non rispose o non capí. Chiamate la madre, disse allora lui. La madre non c'è e al numero di casa scatta la segreteria. Sua figlia in questo momento è seduta per terra nell'atrio con la testa tra le ginocchia e non si muove. Il padre si guardò attorno, incrociò lo sguardo di attori e tecnici. – Interrompiamo, viene a piovere, – disse. Tastò nella tasca dei pantaloni le chiavi dell'auto. L'attrice pensò: meglio, stamattina i capelli mi stavano da schifo.

La sesta e ultima figlia del regista tv, Lorenza, voleva essere un maschio. I quattro fratelli di uno, tre, quattro e sei anni piú grandi – Giovanni, Giacomo, Federico, Francesco – le avevano sempre fatto credere che poteva, volendo. Bastava tagliarsi i capelli corti come loro e fare la lotta normalmente. Bastava mettersi sempre maglietta felpa e pantaloni, cosa che del resto accadeva. Lorenza non aveva mai avuto niente di suo, solo vestiti e scarpe dei fratelli. La sorella primogenita, Giulia, sedici anni, aveva lunghi boccoli neri una stanza tutta per sé una chitarra un fidanzato e nessun interesse per i fratelli, parola che anche dopo la nascita di Lorenza aveva continuato a declinare al maschile, plurale. Anche i genitori: «Noi usciamo, togliti le cuffie e stai attenta ai fratelli». Lorenza dormiva nel letto a castello sotto Giovanni, in stanza con Giacomo. Quando la madre aveva capito che non poteva – in sua assenza – difenderla dalle botte dei piú grandi le aveva costruito una specie di armatura coi cuscini, legata sul corpo con le cinghie dei pantaloni del padre. Andava a lavorare e la lasciava bardata come una tartaruga Ninja. Fino alla fine della scuola materna Lorenza era stata felice. Ora, però, c'era questo problema. I nuovi compagni, in prima elementare, l'avevano individuata come femmina, e insieme a loro la maestra. Le era stato assegnato un posto al primo banco accanto alla bambina Sofia, elastici con le ciliege a fermare le due code ai lati della testa. A ricreazione i maschi non la accettavano nei giochi, giacché era femmina. Le femmine

neppure, sembrava un maschio. Dopo meno di due mesi
si era chiusa nel gabbiotto. A chiave.

«Me lo ricordo benissimo quel giorno. Ero disperata.
Non volevo tornare in classe. Non volevo in generale tornare piú a scuola, mai piú. Mi ricordo l'odore della stanza
delle caldaie. Come di polvere di umido e di gesso. Buio,
penombra. E la porta di ferro, con la chiave dentro. Loro fuori che mi chiamavano, e io zitta. È bello quando ti
chiamano e non rispondi. Senti nelle voci l'ansia che sale,
i passi che vanno e vengono fitti fitti, senti che si preoccupano, che se stai zitta chissà cosa pensano. Pensi che
loro pensino che sei morta, e sei contenta: cosí, almeno,
imparano».

– Non è che lavori solo tu, sai. Non è importante solo
quello che fai tu. Se non rispondo è perché non posso. I
figli sono anche tuoi. Oppure pensi che siccome sono sei
sarebbe meglio che io restassi a casa. Sei tu che li hai vo-
luti, te lo ricordi? Sono belli tanti. Facciamone tanti. Ok,
allora ora occupatene, però.
– Smettila, me ne occupo. Lo sai che me ne occupo.
– No tu non te ne occupi. Tu fai le cose. Li porti a scuola
in macchina, ok. Li vai a vedere quando giocano la domenica, ok. Gli dài i soldi quando li chiedono. Ma di come
stanno, cosa ne sai? Ci parli tu? Quando ci parli? Lo sai
che Giulia prende la pillola? Lo sai che Giacomo dorme
ancora col dito in bocca? E che Giovanni odia il calcio e
viene allo stadio solo per farti piacere? Lo sai questo?
– Smettila, dài, non alzare la voce.
– No che non lo sai. E questo fatto di Lorenza che si
fa chiamare Lorenzo non è una scemenza, non fa ridere.
Lei, a tutti quelli che non la conoscono, si presenta come

un maschio. Questo lo sai tu? Quando ne parliamo io e
te, dimmelo. Quando?
– Sentiamo uno psicologo, magari.
– Ma lascia perdere va'. Ma quale psicologo.

«Mi ricordo che mia madre mi diceva guarda che è bello
anche essere una femmina, cosa c'è che non ti piace, spiegami. Ma io non riuscivo. I maschi mi piacevano sempre,
mi facevano sentire comoda. Le femmine mi facevano paura. Coi maschi non si litigava mai sul serio, si giocava. Poi
passava. Anche le femmine facevano finta, ma in un altro
modo. Piú complicato, un modo che non capivo. Un giorno ho detto a mia madre: se non posso essere un maschio
allora voglio essere un cane. È cosí che è arrivata Bionda.
Non puoi essere un cane, Lorenza, ma puoi avere un cane. Bionda era piccolissima. Me la sono messa subito nel
letto. Quando è cresciuta ed è diventata enorme abbiamo
continuato a dormire insieme, però per terra, sul tappeto.
Mi prendevo il cuscino e dormivo con lei. Poi è successo
all'improvviso, avrò avuto quindici o sedici anni: un giorno mi sono guardata allo specchio prima di andare a scuola
e ho detto ok, dài, sei una ragazza fai la ragazza. Almeno
provaci. Magari ti diverti».

– Lorenza dice che si è innamorata.
– Ah.
– Ha un ragazzo, dice che vuole andare in vacanza
con lui.
– Dove?
– In barca coi genitori di lui. Vanno in Grecia. Li co-
nosco. Sono persone gentili. Tu che dici?
– Ma non lo so, se sono gentili va bene, invitiamoli a
cena. Il ragazzo com'è?

– Un ragazzo. Un amico di Giacomo. Ha diciassette anni. Carino, mi pare.

– Va bene allora. No?

– Non lo so, in barca... E se poi vuole tornare e non può?

– La fai sempre tragica. Se vuole tornare prende un aereo e torna.

«Al ritorno dalla Grecia, a settembre, ci siamo lasciati. Pensavo: allora lo vedi che avevo ragione, la vita da ragazza è un inferno. Sono entrata in depressione. Non volevo piú uscire di casa. Poi ho pensato: parto. Me ne vado all'altro capo del mondo, vado in Nuova Zelanda. C'erano i programmi per fare un anno di liceo all'estero, non lo so se ci sono ancora. Mia madre ha detto va bene, vai. Mi è cambiata la vita. Tutti in Nuova Zelanda mi dicevano che ero bella, io che mi sono sempre sentita un burattino: legnosa, muscolosa, troppo alta e troppo magra. Mi dicevano: *wow, the italian girl!* Il ragazzo della fattoria dove vivevo mi ha insegnato ad andare a cavallo senza sella, siamo diventati molto amici, e poi *friends with benefits*, hai presente? Amici che dormono anche insieme ma senza impegno, con il beneficio del tepore, del contatto. Qui va meno. È una cosa dei Paesi anglosassoni. Qui ti fai subito la cattiva fama, stanno tutti lí a giudicare, è un disastro. Poi effettivamente per restare *friends with benefits* bisogna che nessuno dei due si innamori, se no diventa un rapporto squilibrato e finisce che uno dei due soffre. Ma è un fatto di abitudine. Lui mi diceva tu sei fantastica perché non conosci il *pussy power*. Le strategie, le manfrine. Le cose da femmina. Io non so fare la fragile per finta, che poi hai tutta un'altra intenzione. Non piango mai, non faccio mai silenzio per farmi chiedere a cosa pensi, non inclino la testa da un lato quando parlo e non rido rovesciandola all'indietro. Proprio non sono capace. Parlo a voce alta, dico sempre la mia, faccio un casino. Però m'innamoro anche io, eh? Sai quando il pensiero della persona è una specie di carta da parati del cervello, che anche se non ci pensi è sempre lí? Sí, sí: m'innamoro. Ma qui in Italia, da quando sono tornata, vado malissimo. La concorrenza è spietata. Bisogna saperci fare. È la legge della giungla. Le profumiere rovinano la piazza. Le profumiere. Quelle che fanno sentire il profumo e poi spariscono. Io coi ragazzi ci gioco come facevo da piccola, a spintoni e parolacce. Non ho futuro, non mi prendono sul serio. Posso solo essere un'amica. Non ci provano mai, con me. Devo provarci io, ma quelle cose tipo lasciar cadere un oggetto per chinarsi insieme e poi baciarlo io non le so fare. Le guardo, le mie amiche, quando staccano il telefono e si fanno inseguire e dico pazzesco: sono veramente bravissime. Ma chi glielo avrà insegnato? Ma dove hanno imparato?»

– Lorenza dice che vuole andare in Africa.
– Bene, bello. Africa dove?
– Dice che va a lavorare in un ospedale, un reparto maternità, in Tanzania.
– Bellissimo, quando?
– A Natale. Dice che vuole donare all'ospedale i soldi che le ha lasciato tua madre.
– Tutti?
– Quasi tutti. Tanti.
– Bello. Una bella idea, no? Vuoi che andiamo anche noi? Vuoi che la accompagniamo? Io a Natale non lavoro, ho finito.
– Tu no ma io sí. Io a Natale lavoro.

«Ci vado, in Tanzania, un po' anche perché c'è Mattia. Devo essere onesta. Ho deciso anche per quello. Ma siamo solo amici, solo amici. Lui è proprio uno super. Mi ha fatto riflettere su certe cose tipo: perché quando finisce una cena dove siamo in dieci manco te ne accorgi e ti metti a sparecchiare e fare i piatti? Lo vedi che non sei coerente? Nessuno te lo chiede, e tu lo fai, spontaneamente. Perché accetti di andare in discoteca se non ti fanno pagare e i maschi invece pagano dieci euro? Non vedi che informazione occulta c'è dietro il fatto che le donne non pagano? E perché le donne accettano di non pagare? Ribellati. Pretendi di pagare in discoteca. Ha ragione, cazzo. Non ci avevo mai pensato. Voglio pagare quando vado in discoteca. Mattia mi piace un sacco, ma siamo solo amici e per la prima volta non mi va tanto provare a essere *friends with benefits*. Che poi lui chissà cosa pensa. Mi sa che un giorno di questi glielo dico: mi sono innamorata. Glielo dico e basta. Magari in Africa. Anche lui, come me, pensa la cosa piú grave è che stiamo devastando il pianeta. Ma tu lo sai che un giorno potrebbero non esserci piú le tigri? A me, se ci penso, mi dispiace che i miei figli non potranno vedere le tigri vive dal vero. Che poi a loro nemmeno dispiacerebbe, perché non le hanno mai viste. Ma a me mancheranno le tigri. Mi mancheranno un casino. E sarà anche colpa mia, se spariscono le tigri. Io, se potessi, ci parlerei con le tigri. Ci dormirei distesa accanto, attaccata, per sentire come respirano. Come facevo con Bionda. Era bellissima, te l'ho detto?, Bionda. Ti ho già raccontato di Bionda?»

Pantaloni

Nonna Esa mi ha insegnato a tagliare il prato.

Certi pomeriggi di settembre, quando le ultime cicale ancora chiamavano ma si era ormai stufi di battere i pinoli, troppo stanchi per giocare ancora, il rientro a scuola troppo prossimo, certi pomeriggi in cui tutti i bambini stavano insieme ma distanti, ciascuno seduto a guardare un punto diverso, in terra nei formicai o in cielo, allora la nonna usciva dalla casa – la casa coperta dai rampicanti con quelle bacche blu che quando le schiacci diventano viola e lasciano sulla pietra una macchia che è ancora lí l'anno dopo, ma piú pallida, e per molti anni a volte per decenni, può capitare che torni da adulta coi tuoi figli bambini e trovi la macchia ancora proprio lí – ecco allora in quei pomeriggi di settembre che era già quasi ora di tornare ciascuno in una casa diversa di città, la nonna usciva dalla porta e diceva forza, tutti con me a tagliare il prato.

La nonna aveva dei pantaloni blu di tela pesante, larghi, li teneva stretti in vita con una cinta da uomo e la parte sopra la cinta si arricciava e ricadeva in giú, cosí la cinta non la vedevi ma sapevi che c'era, e che era da uomo perché anche i pantaloni, certo, dovevano essere stati di un uomo. Diceva forza tutti con me, e piano piano i bambini si alzavano da terra e dalle piccole sedie di legno e in disordine ma anche un po' in fila le andavano dietro senza parlarsi tra loro. Giravano dall'orto, passavano dietro la casa del contadino che quasi sempre, quando c'era, li salutava con un gesto del braccio. Loro rispondevano tutti, pure col braccio.

Per tagliare il prato bisognava avere pantaloni lunghi, era meglio, che sennò la sera si avevano graffi di rovi sui polpacci e costellazioni di ponfi di ortica. Però non si poteva sapere, quando era il giorno del prato, e non sempre si avevano i pantaloni giusti. Allora si tenevano i graffi e nessuno ci faceva caso. Per tagliare il prato bisognava fare molta attenzione alle serpi, battere le mani e pestare i piedi mentre si camminava, e piano piano i bambini si dimenticavano del prato e cominciavano a giocare a chi batteva piú forte. La nonna diceva chi ha le falci? E nessuno aveva le falci perché le aveva lei, le teneva infilate nella cinta sulla schiena, ne dava una ciascuno ai cugini piú grandi – due maschi e una femmina, Isabella – e noi piccoli dietro a guardare, attenti, che se avessimo imparato a non farci male, a fare proprio cosí, vedete, col braccio, allora dopo avremmo potuto provare anche noi. Ma piano, e solo con lei.

Nonna Esa ha fatto la guerra.

La guerra ha una patina di segreto. Con la guerra si diventava pratici e coraggiosi. Si mangiava qualunque cosa e non ci si raffreddava solo per un po' di freddo. Anche le donne avevano i fucili. Questo di certo. Poi c'erano certi fratelli e cugini di cui nessuno dice mai i nomi. Esistono solo nelle foto, quelle di cartoncino con la firma del fotografo in corsivo, davanti. In posa per la prima comunione. Fernando, forse, uno. Dalla guerra dipende anche il fatto che nelle foto di matrimonio di nonna Esa suo padre non c'è, e nemmeno suo zio Lucio che aveva solo due anni piú di lei ed erano come fratelli. Nella foto di matrimonio di nonna Esa ci sono solo donne, a parte lo sposo, che è talmente giovane e bello che sembra una ragazza anche lui. Nonna Esa, comunque, si è sposata in pantaloni.

Nonna Esa si è sposata a settantadue anni.

La seconda volta. La prima ne aveva diciotto, era quella della foto. Ebbero tre figlie femmine in tre anni, mia mamma era la seconda. Dopo la terza figlia nonna era già sicura che non voleva stare piú con quell'uomo perché non si volevano bene, cioè almeno lei di certo no. Non si parlavano, mi ha raccontato una volta. Era per questo. Si vedevano solo in camera la sera, e lui non diceva mai niente. Però nonna non sapeva fare nessun lavoro a parte quelli di casa e tenere le bambine, allora si è separata in casa. È andata a stare in una stanza da sola, pazienza se lui protestava al principio, ma poco, perché non parlava. Quando le figlie sono andate a scuola e aveva la mattina libera è andata a imparare un mestiere, al paese, e si è messa a lavorare. Poi, quando le figlie hanno finito la scuola, è andata via da casa – anche se non si poteva, a quel tempo, ma a volerlo si poteva – e per molti anni non è tornata piú. Erano le figlie che andavano da lei, mi ha detto quando ho chiesto. Da vecchia è andata a vivere in montagna con l'amore della sua vita, Vittorio. Una casa lontanissima da tutto, si può arrivare solo con la jeep. Nonna guida la jeep. Da piccole ci veniva a prendere alla stazione a fondo valle con un sorriso bellissimo, rideva sempre, tutto quello che facevamo la divertiva, quando era felice ci stringeva il braccio forte, ma forte che restava il segno delle sue dita per un po'. Io e le mie cugine il fine settimana volevamo sempre andare da lei, ci accompagnava mamma che delle figlie, secondo me, della nonna è sempre stata un po' la preferita. Ridevano tantissimo insieme e si abbracciavano tanto. Mamma, comunque, si è sposata in minigonna.

Nonna Esa dice che non c'è obbligo.

A noi, che poi siamo tutte donne in famiglia e ormai siamo grandi, nonna Esa dice sempre: ricordatevi che si può dire di no fino all'altare. Non c'è obbligo. Se non siete sicure quando arrivate lí in fondo al corridoio dite no, mi dispiace, ho cambiato idea. Potete. E comunque, dice, non smettete mai di studiare, di lavorare. L'indipendenza prima di tutto. Nella casa di montagna di nonna Esa ci sono certe foto bellissime di lei e Vittorio in vetta, se le sono fatte da soli col cavalletto e l'autoscatto, meravigliose proprio. Io non ho mai visto due persone guardarsi negli occhi come loro. Ancora adesso, ancora oggi. Quando vedo come si guardano sento quasi come un imbarazzo, un pudore e penso che bisogna abbassare gli occhi perché abbaglia, quando ha quella luce, l'amore.

Motore

– Te lo ripeto, ma seguimi, ok? È importante che tu non sbagli movimenti.

– Ok.

– Allora. Lui ti riaccompagna a casa in macchina e si ferma davanti al portone, ok?

– Ok.

– Siete in macchina, col motore acceso. Qui ci sono due possibilità. Lui spegne il motore, poi ti dice qualcosa di personale ma generico, tipo «non siamo stati male stasera, vero?» Una cosa cosí. Allora tu sorridi, non dici niente, aspetti.

– Aspetto cosa?

– Che ti baci. Ma è molto molto importante che tu non dica niente. Non rispondere a nessuna domanda, per nessuna ragione. Sorridi solo. Inclini un po' la testa lo guardi e sorridi. È il segnale. Se resisti ferma cosí lui ti bacia.

– Ma sei sicura?

– Certissima. Però è fondamentale che tu non dica nemmeno una parola. Come parli sbagli. Stai zitta. Chiaro?

– Sí. La seconda possibilità?

– Quale seconda?

– Hai detto che erano due.

– Ah, sí. Lui non spegne il motore.

– Infatti. Lui di solito non spegne il motore. Mi riaccompagna dice allora ciao e va via.

– Ecco. Quando dice allora ciao tu allunghi la mano e gli spegni il motore.

– Io? Spengo il motore della sua macchina? Gli giro la chiave?

– Sí certo tu. Se non lo fa lui lo fai tu. Allunghi il braccio e giri la chiave.

– E se ha la marcia ingranata?

– Ma che c'entra. Non siete mica a scuola guida. Tu spegni e basta.

– Ma scusa non capisco: lui dice ciao, io allungo la mano spengo il motore e poi?

– Poi come ti ho detto prima: lo guardi, stai zitta e sorridi.

– Ma scusa Carolina: una che spegne il motore fa venire l'ansia. Tipo che lui pensa: adesso cosa vuole questa. Chissà cosa si aspetta. Una che spegne il motore genera un'aspettativa altissima. Fa pensare: adesso fa dei numeri a colori. Magari si spaventa.

– Non si spaventa. L'importante è che tu stia ferma. Spegni e ti fermi. Lasci fare a lui. Gli restituisci la palla. Fondamentale. Deve essere lui a muoversi per primo.

– E quindi?

– Quindi lui ti bacia. Qui passa qualche secondo in piú, perché se spegne lui ha già deciso di baciarti. Se spegni tu gli devi dare il tempo di decidere che è lui a volerlo. Chiaro?

– Chiaro. E dopo che mi ha baciata? Sempre se mi bacia…

– Ti bacia sicuro. Dopo tu apri la portiera della macchina ed esci, mentre esci gli dici una cosa carina tipo «grazie del passaggio, ciao».

– Cioè scusa: lui mi bacia e io me ne vado?

– Obbligatorio. Non resti lí per nessun motivo al mondo. Ti bacia, lo baci e te ne vai. Guarda Margherita è fondamentale. Ripetiamo: bacio, portiera, allora ciao.

– Ma come?

– Ma cosa, come? Vuoi rovinare tutto? Te ne vai tranquillissima. Lo lasci lí, entri nel portone e lo saluti con la mano. Ti fidi o non ti fidi?

– Lo lascio lí?

– Certo. Ciao, ciao. Vedrai se non ti richiama. Un whatsapp entro le ventiquattr'ore, te lo assicuro. Se sei stata brava anche la sera stessa. Quando sei a letto ti arriva il messaggio. Però non rispondi, chiaro? Spegni il telefono e non rispondi fino al giorno dopo.

– Spengo. Non rispondo.

– Esatto. Meglio rispondere il pomeriggio. Se proprio non resisti anche la mattina, ma mai prima delle undici. Ricordati. Fino alle undici è vietato. Risposta breve. Niente di impegnativo. Meglio di tutto un emoticon: la faccetta che sorride con le guance rosse, la faccetta timida, hai capito quale?

Piú facile

Sí hai visto bene, Veronica l'ho baciata sulla bocca. Ma non significa. Non è che stiamo insieme. La ragazze si baciano per salutarsi, per divertirsi. La sera in piazza, o in discoteca, sempre. Ma non è un fatto che impegna. Lo fanno tutte. Non segui Instagram? Tutte, si baciano. Poi quando hai bevuto tre o quattro bicchieri sei anche piú sciolta, è un po' come un gioco. Ai ragazzi piace vedere le ragazze che si baciano, e alle ragazze piace baciarsi. Quindi qual è il problema? Un sorso, un bacio. Un sorso, un bacio. Non l'hai mai fatto? Poi il lunedí si va a scuola si guardano le foto e si condividono su FB, è un fatto di gruppo, di amicizia. Baciare le ragazze non impegna. I maschi, invece, se li baci allora poi devi fare, o liberartene. È piú complicato. Però anche fra femmine è complicato, perché magari mettono «amore» sul profilo, scrivono «ti adoro» ma non ti puoi mai fidare. Sparlano, spettegolano. Devi stare attenta, con le ragazze. Coi maschi no. Cioè devi stare attenta lo stesso ma in un modo diverso. Piú semplice. Coi maschi alla fine è tutto piú facile.

Viola

– Ho avuto molti uomini, poi Viola.
Molti quanti, a ventotto anni?
– Non lo so, ogni volta che conto viene fuori un nume-
ro diverso. Sí, lo so che fa ridere. Ma è la verità. Alcuni
erano proprio incontri di occasione. Diciamo fra venti e
trenta, dài.
Solo incontri o anche storie lunghe?
– Anche lunghe, quattro. La piú seria e bella – l'ultima – è durata tre anni ed è stata una convivenza.
Cosa c'era che non andava piú?
– Niente. Stavamo anche pensando di avere un figlio.
Solo che poi mi sono innamorata di Viola.
Come è successo?
– Che ho capito di essermi innamorata? Eravamo a Firenze, insieme per un seminario. Avevamo quel pomeriggio libero e abbiamo deciso di andare a una mostra. Lei era
qualche passo davanti a me. L'ho guardata, era di spalle,
e ho sentito in modo chiaro, chiarissimo, che mi piaceva
non solo col cuore ma che mi attraeva con il corpo. Una
sensazione fisica nitida. Non gliel'ho detto, certo che no.
Quella notte non ho dormito.
E poi?
– Sono passati mesi. Non riuscivo a non pensarci. Ci
siamo viste, e viste ancora. Poi qualcosa è successo. Poco
piú di un abbraccio, un abbraccio molto stretto e prolun-

gato. Lí ho capito, non si poteva piú tornare indietro. Mi
sono anche un po' spaventata, quella sera. Di nuovo sono
rimasta sveglia tutta la notte. La mattina l'ho chiamata e
gliel'ho detto.

Com'è, Viola?

– Alta, indisciplinata, simpatica. Profonda. Ariosa. Bella. Molto adatta a me.

L'uomo con cui vivevi?

– Cosa?

Come ha reagito?

– Meglio che ha potuto. Lo capisco. Non è facile.

La tua famiglia?

– Molto turbati, al principio, soprattutto mio padre.
Fanno ancora fatica a nominare le cose, a volte. È proprio
che non sono abituati a dirle. Hanno bisogno di tempo per
lasciare che le parole escano dalla bocca.

Quali parole?

– Quelle che non avevano mai detto prima.

Tu di cosa hai paura?

– Di non poter avere figli. Mi dispiacerebbe molto. Trovo che siano una grande occasione di fare esperienza della
vita. Li vorrei, ma li vorrei con Viola.

Il giudizio, lo sguardo degli altri su di te, su di voi, sui
vostri figli – se verranno – ti preoccupa?

– No, per niente. L'unico giudizio che mi pesa è il mio
su me stessa.

Ed è severo?

– Sempre. Ma mi sento davvero a posto coi miei conti.

Che differenza c'è fra avere una relazione con un uomo
e con una donna?

– La principale credo è che le donne si mettono piú in
gioco. Si espongono di piú. Esponendosi, in generale, fanno il bene anche degli altri. Di quelli che restano ritirati

e protetti, intendo. È come quando ti vaccini: fai il bene anche di chi non lo fa.

Quanto è importante l'intesa sessuale in una coppia?

– Moltissimo. Per me moltissimo. Vuoi una percentuale? Ma come si fa... Va bene: diciamo 70-80 per cento. Senza l'intesa dei corpi l'unione è un'altra cosa. Stima, affetto profondo, memoria del passato, desiderio del bene dell'altro. Amicizia amorosa. Certo che si può stare insieme senza sesso, ma è una decisione che prevede una rinuncia in nome di qualcos'altro, in genere. Il corpo è fondamentale.

Che mestiere faresti, se potessi scegliere?

– Farei teatro, che è qualcosa piú di un mestiere. Ma non ho talento e mi limito a fare la spettatrice. A teatro stai in relazione fisica con chi hai di fronte, coi corpi sul palco. È una relazione che cambia le cose.

E invece cosa fai?

– Insegno filosofia alle superiori.

Da bambina cosa rispondevi quando ti chiedevano cosa farai da grande?

– Da piccola passavo tantissimo tempo con mio nonno. Impastavo la calce insieme a lui. Pensavo che avrei costruito le case, poi mi hanno detto che no, le ragazze si sposano e non stanno in cantiere. Allora farò la commessa, pensavo. Magari la cassiera.

Vulcani

Un giorno di settembre del 1981, per i bambini di Capo Verde il primo giorno di scuola, Roberta e sua madre camminarono fino al porto lungo l'unica strada dell'isola. Roberta portava due piccole valigie marroni, una per mano. Erano le sette del mattino, dalla casa azzurra usciva in quel momento René, la gonna corta i calzini bianchi, una grande crosta ancora rossa sul ginocchio sinistro. Roberta salutò la bambina e suo fratello che la teneva per mano. Parti? chiese la bimba. Sí, ma torno presto, sorrise Roberta. Quando? L'estate prossima, quando hai finito la scuola. Allora non è presto, disse René.

Al porto la madre aiutò la figlia a caricare le valigie sul gozzo blu e rosa, quello con la stella nera dipinta a prua. La abbracciò senza parole, voltò le spalle e si diresse verso la salita. Il pescatore sulla barca disse che il mare era buono, sarebbero arrivati all'isola grande in mezz'ora. Il vulcano non aveva parlato, quell'estate. Sarebbe stato un inverno quieto. Roberta si sedette a poppa, le valigie davanti alle ginocchia. Dal mare guardò sua madre camminare verso casa senza voltarsi mai, la vide sparire. Non ho portato calzini di lana, pensò. Speriamo che l'Italia non sia troppo fredda. Aveva ventun anni.

«Mia madre era una bomba. Allegra, instancabile, folle. I miei amici venivano a casa nostra per lei, non per me. Dicevano andiamo da Juanita a fare i compiti poi stavano tutto il tempo a sentire le sue storie. Cucinava per tutti, cantava, scherzava continuamente, era bellissima. Era partita da Fogo, la sua isola, a ventun anni. Era la prima di sette fratelli. Mio nonno andava per navi e non era mai a casa, lei diceva che non ricordava bene nemmeno che viso avesse. Diceva che tornava sempre di notte, stava un giorno intero in camera, la notte dopo ripartiva. Mia nonna coltivava la terra e cresceva i figli. Appena mamma ha avuto l'età per partire è venuta in Italia. L'hanno chiamata. C'era un'agenzia nella capitale che cercava ragazze per andare a fare i servizi in Europa, aveva visto l'annuncio giú al porto. Erano altri tempi: allora quelli come lei li invitavano, non li cacciavano via. Napoli non sapeva dove fosse. La signora da cui sarebbe rimasta a servizio per trentaquattro anni è andata a prenderla in macchina al porto, mamma era molto impressionata. Dalla macchina – piccola e guizzante come un pesce rosso, con due soli posti, senza tettuccio – dal fatto che la guidasse una donna e dalla signora – mi raccontava sempre – perché era giovane ma vestita da vecchia e aveva i capelli biondi quasi bianchi raccolti in uno chignon. Io sono nata in quel palazzo, al Vomero, dieci anni dopo. La casa era talmente grande che io e mia madre avevamo un appartamento solo per noi, con un ingresso diverso. La signora è stata come mia nonna. Mi ha cresciuta, istruita, portata in viaggio. Già da giovane era molto delicata, soffriva di dolori e stava spesso a letto il pomeriggio. Ogni tanto mi chiamava nella sua stanza, quando ero piccola, e mi risentiva i compiti».

– Roberta, la bambina deve andare a studiare in collegio. È molto brava, dobbiamo mandarla in una buona scuola.

– No, signora, il collegio no. Là li tengono a dormire e io come faccio senza mia figlia a casa?

– Non essere egoista Roberta, è per il suo bene. Deve imparare le lingue.

– Ma va già a danza signora, e poi ha le lezioni di canto e di pianoforte. In collegio non potrà studiare musica né ballare. Le dispiacerà tanto.

– Imparerà altre cose. Lascia che ci parli io.

«Non le ho mai dato un dispiacere, alla signora, ma in collegio non ci sono voluta andare. Come facevo a lasciare mia madre da sola? Come facevo io a stare senza mia madre. Le ho chiesto di farmi provare il liceo. Le ho detto che se non avessi avuto la media almeno dell'otto allora sarei andata in collegio. Del nove, mi ha risposto lei.

Ero sicura che avrebbe fatto come volevo io perché era mia nonna, in fondo. Le nonne, qui in Italia, la dànno sempre vinta ai nipoti. No, a Capo Verde no. Mia nonna quella di Capo Verde decide lei per tutti e non credo di averla mai vista sorridere. Ci vado poco, comunque. La vedo d'estate, ogni tre o quattro anni. Quando ci sono i soldi per il viaggio. Lei ha cinquanta nipoti e diciotto pronipoti. Alcuni stanno in America, altri in Europa. Non sono sicura che conosca i nomi di tutti, io no per esempio: i nomi dei miei cugini non li so. A me, comunque, non mi chiama mai per nome».

L'anno scorso, per la festa di laurea di Juanita, Roberta non ha potuto cucinare. Era appena uscita dalla terapia, troppo debole. Si è messa a sedere sulla sua sedia, ha dato indicazioni ai ragazzi che preparavano i dolci, ha scelto le tovaglie e il centrotavola. Ha anche cantato un poco, ma non come quella volta, quella che si ricordano tutti.

– Roberta, mi hanno detto che al battesimo di suo nipote ha dato spettacolo.

– Abbiamo ballato e cantato, sí, signora.

– Sui tavoli, scalzi, ho sentito.

– Be' sí signora, quando si balla conviene togliersi le scarpe. Sui tavoli è piú pulito.

«Io con mia madre ho fatto cose che non ho mai visto fare a nessuna delle mie amiche. Siamo andate la sera a ballare, le ho insegnato il tango, abbiamo fatto degli scherzi formidabili, abbiamo riso fino a sentire male alla pancia. Lei era cosí, lavorava dodici ore al giorno ma non perdeva mai l'allegria. Cominciava piano. Diceva Juanita comportati bene questo non è un posto dove ci possiamo far notare, poi si scatenava, era sempre lei la prima e tornava bellissima, come era da giovane, magnifica. La signora in fondo la ammirava, io credo, a volte mi diceva come fa tua madre, dove trova l'energia. No, non ci sono mai andata in collegio. Mi sono diplomata in conservatorio, pianoforte e canto, ho studiato danza diciotto anni, mi sono laureata in Lingue all'Orientale. Ne parlo cinque, abbastanza bene. Italiano inglese francese spagnolo e portoghese, ovviamente. Ora mi sono iscritta a lezioni di russo, che serve per trovare lavoro. E anche a un corso da truccatrice professionale, non si sa mai da che parte arrivano le occasioni. Mamma era contenta che studiassi per imparare a truccare. La bellezza vuole la sua parte, Juanita – mi diceva sempre. Ricordati: la bellezza in ogni cosa è tutto. Al suo funerale noi ragazzi eravamo cosí belli, i vestiti colorati i capelli sciolti, le musiche cosí calde che sembrava un matrimonio e a un certo punto, fuori dalla chiesa, ci siamo davvero messi a ballare».

– Cosa vuoi fare adesso, Juanita? Ti darò io quello che
ti serve. Vuoi tornare nel tuo Paese?

– Signora, il mio Paese è questo. Ci sono nata, i miei
amici sono qui.

– Non vuoi tornare da tua nonna?

– Signora, mia nonna sei tu. L'altra nonna vive sotto il
vulcano in un'isola minuscola. Non la conosco quasi. Poi
sono cresciuta in una grande città, mi sono appena laureata, cosa ci vado a fare nel villaggio a Fogo? No, davvero
signora, non voglio.

– E dunque dove vuoi andare?

– Per ora vorrei restare ancora un po' a casa. Qui a
Napoli. Mettere a posto le cose di mamma, le mie. Poi
pensavo di andare a Londra, quest'inverno, ho trovato
un piccolo lavoro. Il mio ragazzo è già lí, dice che prendono anche me.

– Che lavoro?

– In una scuola di musica per bambini, cercano qualcuno
che parli anche le lingue. In amministrazione. I bambini lí
parlano molte lingue. Magari è un bel posto.

In un altro tempo la signora avrebbe accompagnato
Juanita all'aeroporto. Sarebbero scese in garage a prendere la macchina rossa, un vecchio modello di spider che
ogni tanto i ragazzi andavano a spiare come una meraviglia. Ma da moltissimi anni la signora non guidava piú, da
molti non usciva di casa, negli ultimi mesi restava giorni
nella stanza. Juanita entrò a salutarla che il sole aveva appena illuminato le tende. La trovò seduta in poltrona, il
viso rivolto alla finestra.

– Quando pensi di tornare? – le chiese la signora.

– Presto, forse l'estate prossima. Certo prima di quando

ti trasferisci nella casa al mare. Anzi guarda, l'estate prossima ti accompagno io in macchina: ci andiamo insieme.

La vecchia ricordò la luce bianca della casa al mare, il
Vesuvio nello sguardo, il grande divano di vimini che era
andata a comprare insieme all'uomo che la chiamava per
nome.

Allora non è presto, disse alla ragazza abbracciandola
senza alzarsi dalla poltrona.

Il divano quel giorno di luglio lo avevano caricato su
un'Ape, legato con le cinghie di tela. A casa l'avevano pog-
giato al centro della stanza ancora vuota e l'uomo le aveva
detto coi denti bianchissimi e un gesto rotondo del braccio: «Questo sarà per sempre il nostro posto, Miranda».

Parte seconda

Taranto

Quanti anni hai, Giusy?
– Undici.
Dove abiti?
– Via Fausto Coppi numero 3, scala D.
Vuoi dire anche la città?
– Sto qui mi vedi, no? Allo Zen. Città di Palermo.
Cosa vuoi fare da grande?
– L'estetista.
Stai studiando?
– No.
Non dicevo per diventare estetista. Intendo se vai a scuola.
– Ogni tanto sí.
Con chi vivi?
– Con mia madre.
Com'è tua madre?
– Robusta.
Hai piú amici maschi o amiche femmine?
– Uguale. I maschi hanno una bellezza e le femmine un'altra bellezza.
Puoi spiegare questa differenza con qualche esempio?
– I maschi a volte ti fanno vergognare, quando ti dicono mi dài un bacio. Non parlano tanto. Però fanno ridere. Le femmine fanno ridere di meno ma non si stancano a parlare.
Se avessi molti soldi cosa faresti?
– Comprerei dei mobili per la casa. E poi me ne andrei.
Dove vorresti andare?
– In una città lontana. Tipo a Londra, o a Taranto.

Skype

Della mattina di maggio in cui arrivarono nella casa lontana tre settimane di viaggio dalla sua, Zahra ricorda che faceva freddo. C'era il sole, ma non come quello che bruciava le pietre del suo giardino. Non c'era neppure niente che somigliasse alla *sua* pietra. La pietra di Zahra era una piccola montagna liscia e grigia, usciva dalla terra come il dorso di un animale in letargo. Sua madre poteva vederla dalla finestra della cucina: ogni pomeriggio al ritorno da scuola la bambina andava a toccarla, sembrava parlarle, in ogni caso parlava da sola, poi si tendeva a pancia in su con i piedi ancora poggiati a terra, la schiena lungo il sasso e la testa all'indietro, gli occhi verso il cielo. Il sole restava nella pietra anche la sera, fino a buio. La bambina tornava sempre, prima di andare a dormire, a toccarla con il palmo della mano. Era tiepida, quando le dava la buonanotte.

– Dove sono le pietre in questa città, mamma?
– Le hanno usate tutte per costruire le case.
– E quando le pietre vanno nelle case diventano fredde?
– Sí, se le togli da terra si raffreddano.
– E perché il sole non brucia sulla pelle?
– Perché c'è vento. Il vento che viene dal mare raffredda il sole.

Nel viaggio lungo tre settimane Zahra aveva perso il suo orso. Aveva pianto a lungo in silenzio, nel bus carico di donne di odori e di pacchi stretti con la corda. Perché piange la bambina, aveva chiesto dopo molte ore suo padre a sua madre. Perché ha perso il suo pupazzo. Ormai è grande, dille di non piangere – aveva risposto il padre.

Passarono molti anni, certamente piú di dieci. La bambina aveva compiuto sedici anni, era una ragazza con gli occhi neri truccati di kajal, le ciglia lunghe di rimmel. Jeans scoloriti, scarpe da tennis con la suola verde. Al liceo di Molfetta c'era il suo nome in bacheca, nell'atrio: due anni di seguito prima nella gara di matematica. Per il mio compleanno vorrei Skype, aveva chiesto alla madre. Basta che non sia pericoloso, aveva risposto la donna. No mamma, è una piccola telecamera da montare sul computer. A cosa ti serve una telecamera? Per parlare coi miei amici. Una telecamera per parlare? Sí mamma ce l'hanno tutti, fidati. E quanto costa? Zahra indossava il suo velo, quello con la rosa bianca di raso sull'orecchio sinistro.

– Costa, ma ho messo i soldi da parte. Me ne mancano pochi, magari quelli puoi aggiungerli tu. Andiamo insieme?

La madre pensò a quante banconote aveva nel marsupio di tela sotto l'abito. Abbastanza, le aveva ritirate quel giorno e non le aveva ancora messe via nell'armadio. Per un momento ricordò la grande pietra dietro la cucina della vecchia casa, in Iran. Sua figlia stesa sul sasso, la vedeva dietro il vetro. Ricordò la vecchia cucina, le sue pentole di rame. Davano un altro sapore alla minestra.

– Mamma, allora? Mi ascolti?

– Va bene Zahra, andiamo, ma non mi far parlare al negozio. Lo sai che mi vergogno quando non capisco la lingua.

«Mia madre si vergogna di come parla l'italiano. Si vergogna di quello che gli altri pensano di lei, invece io mi
vergogno per gli altri. Per come la guardano. Mi vergogno
quando le vecchie che stanno sedute sulle loro sedie di pa-
glia, per strada, fuori dalla porta di casa mi dicono "togliti
quel velo ragazzina". Loro, a me, dicono che sono schiava.
Penso alle loro vite e alla mia, lo vedo come vivono. Pri-
gioniere dei mariti e dei figli, delle tre stanze scure che si
vedono alle loro spalle. Mi fa anche un po' sorridere, certe volte, l'ignoranza. Mi fa sentire molto fortunata e mi
viene una specie di allegria. Mi fa venire voglia di tornare a studiare perché poi voglio partire, voglio viaggiare, e
dopo voglio tornare e allora sí, magari, da grande, quando
avrò tutte le parole per farlo – me lo immagino sempre –
andrò in piazza, sui gradini della chiesa, e spiegherò bene
la storia della libertà, della tradizione, di Maria Vergine e
del suo velo, della bellezza. Adesso no, non ancora. Non
sono pronta. Fra un po'».

– Non ho fame stasera sono stanco. Vado a dormire.
Cosa fa la ragazza tutto il giorno chiusa in camera, con
quel computer?
– I compiti.
– Fa i compiti al computer?
– Sí, i ragazzi adesso fanno cosí.
– È l'ora di smetterla con la scuola. Ne ha fatta abba-
stanza. Quest'anno è l'ultimo. Deve prendere marito o sarà
troppo vecchia. Deve sposarsi e tornare in Iran.
– Dice che non vuole sposarsi.
– Ho detto che sono stanco. Non posso sentire stupi-
daggini.

«Sono contro il matrimonio. Per le donne è troppo faticoso. Blocca. Poi devono occuparsi del marito, dei figli e non sono piú libere. O meglio: sono a favore del matrimonio ma solo quando è il momento giusto, e sicuramente con delle regole diverse. Sono a favore anche del divorzio, comunque. Se due persone non si amano piú devono essere libere di lasciarsi.

Voglio fare l'università. Voglio visitare l'Iran, ma poi tornare. La mia prof di matematica dice che dovrei andare in una università del Nord. Io non penso che dipenda dal posto, anche qui al Sud si può studiare. C'è Internet. Parlo con tutto il mondo, sono sempre dappertutto. Ho moltissimi amici, ci scriviamo in tante lingue. Ecco questo bisogna prima di tutto insegnare ai bambini fin da piccoli: le lingue».

A settembre il nome di Zahra non era nell'elenco del concorso di matematica della scuola. È partita, preside. È tornata in Iran. Come in Iran? Si è sposata con un ragazzo, è andata a vivere là. Sposata? Ma con chi? Con un ragazzo iraniano. Ha lasciato un indirizzo? Una mail? Sí, ha lasciato questo. Può cercarla su Skype.

– Avevi detto che non volevi sposarti, Zahra.
– No, avevo detto che mi sarei sposata al momento giusto, prof. È arrivato. Dovevo andare via da casa, mio padre non mi avrebbe permesso di continuare a studiare.
– Ma stai studiando lí?
– Certo, mi sono iscritta all'università. Il primo anno lo faccio qui a Teheran, poi vediamo. Vado un po' lenta perché, ci può credere, ho qualche problema con la lingua. Ma risolvo con l'inglese.

– Con chi ti sei sposata?

– Con un ragazzo che conoscevo da due anni.

– Iraniano?

– Sí.

– E dove l'hai conosciuto? A Molfetta?

– No, su Skype.

– Ma gli vuoi bene? Lui ti vuole bene? Ti tratta bene?

– Prof ma che domande mi fa? Certo che mi tratta bene. È un ingegnere. Lavora per una ditta che ha una sede anche a Londra. Viaggia spesso in Europa. Mi fa molto ridere. E poi è bellissimo. Gentile. Appena torniamo glielo presento.

«Io voglio fare la politica. Ma quella dei Greci e dei Romani, la politica che si occupa del bene degli altri e che è fatta di responsabilità. Voglio aiutare le persone a combattere l'ignoranza, a vivere in pace. L'ho detto, al mio ragazzo, prima di sposarlo: vengo, resto a studiare lí, poi torniamo in Europa. Lui è d'accordo. Ha un ottimo lavoro, può trovare un posto dappertutto: persino in Italia dove è proprio difficile. Gli ho spiegato: ti sposo, ma poi guarda che anche se avremo dei figli vorrò fare la politica. Lui ha detto va bene. Basta che mi sposi, dopo puoi fare anche la presidente. Sí certo che rideva, però non scherzava. Adesso per i figli è presto, non ci pensiamo. Prima mi devo laureare. Poi torneremo a Molfetta, gliel'ho detto. O in qualche altro paese al Sud, basta che non sia lontano da mia madre. In Italia, certo. È a casa mia che voglio tornare. Io, quello che voglio, è fare il sindaco».

Lavagna

Aya, cos'è che ti rende felice?
– La musica.
E cosa ti rende triste, invece?
– La musica. Cioè voglio dire: io per essere davvero felice ho bisogno di piangere un po', prima. Sento la musica
e piango, cosí dopo che il pianto ha pulito la tristezza posso tornare a essere felice. Come quando cancelli la lavagna
per ricominciare a scrivere, però con le lacrime.

Caffè

Guarda ti avviso io piango. Basta non farci caso. Piango mentre parlo se qualcosa mi turba o mi emoziona e la cosa che piú odio al mondo è la gente che mi chiede perché piangi. Se non lo capisci è un tuo problema, non chiedere. Basta continuare a parlare, io poi smetto. Sono cosí grata a quelli che non me lo chiedono che sono capace di farci l'amore solo per questo. Un paio di volte è successo. Ho detto bravo, ho ringraziato.

Va bene dài, cosa vuoi sapere? Tutto di me? Che pretesa. Prova a chiedere, se funziona rispondo.

Sono di Torino e ci vivo. Ho venticinque anni. Ho sempre freddo. Porto tre maglioni, vedi? Sulla pelle quello piú sottile, morbido. Poi uno da uomo con lo scollo a V, largo, poi il cardigan ancora piú largo. Lo faccio anche per nascondere un po' il seno, che è grande. I reggiseni mi dànno fastidio, non li porto. Maschero la quantità e il movimento coi maglioni. Lavoro in carcere, devo stare attenta. Sí, in carcere. Insegno serigrafia ai detenuti. Sto in una cooperativa che fa i laboratori: passo la giornata dentro. Mi piace, sí. Mi piacciono i loro occhi, come usano le mani. Mi piace stare con loro.

Guardo sempre le mani delle persone. Non fare caso al fatto che mi mangio le unghie. Forse è per questo. Alle mie mani, che sono brutte lo so, metto comunque anelli. Fedi, al dito medio. Le cambio. Oggi questa a destra è bianca,

di avorio, questa a sinistra è nera, di ebano. Sono un po'
larghe, mi piace togglierle e metterle mentre parlo. Non
mi trucco e diffido delle donne che lo fanno. Un trucco
è un trucco, no? Lo dice la parola. È un inganno. Perché
sono bella cosí? Non lo so. Dicono che ho belle le labbra,
mi guardano quelle, e il culo ma io non li vedo perché il
culo sta dietro. A me di mio piacciono le sopracciglia, che
sembrano ali ma sono nere: quando dicono «come ali di
gabbiano» si sbagliano. I gabbiani sono bianchi. Queste
ali sono nere, è la pelle a essere bianca, e i denti. I capelli, anche, sono neri. Li taglio da sola, è facile. Ho imparato da piccola, leggendo Valentina. Li volevo come lei.
Un caschetto nero lucido che si muove quando ti muovi.
Ma sí, mi piaccio. Ho i polpacci un po' grossi, ma è una
scemenza. Basta comprare pantaloni piú larghi. Allora,
questa intervista?

Cosa mi rende felice. Che domanda. Per chi vive da
solo la giornata piú dura è la domenica mattina. Mi rende felice che la domenica quando mi sveglio ci sia qualcuno che mi porta un caffè a letto. Se non c'è resto lí fra
le lenzuola e mi intristisco. Penso a quelli che stanno con le
mogli belle, con i figli a casa e dicono caffè?, e il caffè si
apparecchia. Resto lí a pensare a cosa ho che non va per
cui nessuno dorme nel mio letto almeno fino all'ora del
caffè, di solito tornano via prima che hanno sempre una
casa dove tornare, e allora mi intristisco. Poi a un certo punto ho davvero voglia del caffè, e mi alzo a farmelo da sola. Oppure mi viene il senso di colpa. Anche per
questo ci si alza, dopo una cert'ora: non puoi mica stare
a letto tutto il giorno.
  Con quanti ragazzi sono stata? Credo ventuno, ma dicono che ho dei buchi. L'altro giorno ho incontrato uno,

mi ha detto ti ricordi quella volta, e io no, non mi ricorda-
vo. No ragazze mai. Solo uomini. Degli uomini mi piace la
mandibola. Sono una poesia, certi angoli di mandibola. Il
mio prof di italiano e storia al liceo aveva una mandibola
pazzesca. Ci diceva: la mente è curiosa, va stuzzicata, bisogna massaggiarla, renderla sensibile fa bene a sé stessi e
agli altri. Io lo ascoltavo e pensavo: è come masturbarsi.
Fa bene. È in quel periodo che ho fatto l'amore la prima
volta. Avevo quindici anni. No, non per evadere la pra-
tica della verginità, non che fosse un peso. Proprio perché avevo un desiderio sessuale molto forte. Avevo anche
molta paura, ovvio. Di restare incinta, che mia madre mi
scoprisse. Ma il desiderio era piú forte. Lui era un po' piú
grande, aveva messo le candele, una cosa molto romantica.
Io però della prima volta ricordo solo il dolore. Meno male che la prima volta è una sola. E poi naturalmente mia
madre mi ha scoperta. Ha letto il mio diario, una cosa che
non si fa. Hai fatto sesso, mi ha detto. Una vergogna terri-
bile. Ma per lei, non per me. Per come ne parlava. Diceva
«hai perso la verginità» come se avessi perso un oggetto
per strada, con distrazione. Le dicevo ma io lo amo, e lei
non ascoltava. Era una tragedia, secondo lei. Nessuno ti
vorrà piú è tutto finito, sei solo una puttanella. Ma come
parli, pensavo. Provavo vergogna per lei, per il modo in
cui mi parlava. Vergogna, e un po' di odio.

Non ti spiegano niente, da piccola, del sesso. Io mi toc-
cavo, da quando ero bambina, e mia madre diceva: non
toccarti. Avevo letto su «Cioè» cose incomprensibili sulla masturbazione. Era tutto molto piú semplice, in realtà.
Le ragazzine della mia età facevano pompini e qualcuna
dava il culo pur di restare vergine e io dicevo – piú che altro pensavo – ma non sei vergine, cosí. La verginità non
è una barriera fisica che si rompe, è una condizione, una

disposizione, uno stato d'animo. Ma allora non avevo le parole per dirlo. Devi imparare da sola, fare tutto da sola. Sí, sono innamorata. La volta piú bella in cui ho fatto l'amore, infatti, è stata l'ultima. Mi sono sentita amata, guardata, capita, mi sentivo sensibile in ogni punto del corpo, un'eccitazione folle, non pensavo nemmeno ci si potesse bagnare cosí anzi non lo sapevo, fino alla settimana scorsa, che esistesse l'eiaculazione femminile, ci puoi credere? Sono arrivata a venticinque anni senza saperlo e penso ora, adesso mentre te lo dico, che è successo perché con noi era lí l'Amore. A maiuscola. Solo l'amore può dare luogo a quella complicità infinita dei corpi, come se si conoscessero da prima di conoscersi, come se si ritrovassero su questa terra e si dicessero: eccoti, sei tu. È cosí, è lui. Andrà come andrà, certo, ma nessuno può togliermi dal corpo e dagli occhi e dalle mani la certezza che quella confidenza e corrispondenza si dà solo quando trovi la persona venuta al mondo per unirsi e vivere con te. Vivere, è poi questo il problema. Non è sempre detto. A volte lo vedi scappare e pensi: dove vai, perché non capisci? Poi la volta grande, quella volta, pensi: non è possibile che tu non capisca che questo è il tuo posto. Che è qui che devi stare. Ma davvero non lo capisci? Dici sul serio? E come mai? Dimmi. Dimmi perché, ti prego spiegami. Poi le domeniche mattina, da sola. La tristezza. Ho una certa esperienza, so di cosa parlo. Molte volte ho fatto sesso senza amare. L'Amore, quello, lo dice il tuo corpo cos'è. Io l'ho conosciuto adesso.

Il piacere è un'altra cosa. Ci può essere grande piacere anche in una sana scopata. Il sesso senza amore è molto istruttivo. Una scuola. Nel piacere dell'altro impari a conoscere il tuo, impari a eccitarti, è una scoperta. Non sei sensibile allo stesso modo, ma va bene. Fai cose che col

tuo fidanzato non faresti, magari scopri che farlo benda-
ta è la cosa piú divertente del mondo ma non lo faresti
con chi ami perché lo vuoi vedere in faccia. Sei disposta
a situazioni estreme, è un'esplorazione. È molto bello
fare sesso. Lo è sempre. Certo a volte meno, è vero. La
peggiore che ricordi è la volta in cui ci ho messo tre ore
a tirare su la situazione ma non si tirava su, alle sei del
mattino ho detto guarda devo proprio andare ho posteg-
giato la macchina al mercato e arrivano i banchi. Siamo
andati a fare colazione in un posto bello ma era comunque
triste e non avevo nulla da dirgli. Potevo fingere, ho fin-
to tante volte per farla finita ma quella volta proprio non
riuscivo. Chissà cosa gli è successo, poveretto. Il piacere
degli uomini è un altro mistero. Impari che è una cosa
meccanica, se viene lui vengono tutti, ma alla fine non
è vero. È delicato anche quello. Io credo che un uomo
quando si eccita con te è sempre perché un po', almeno
in quel momento, ti ama. Ti desidera e ti ama. Solo che
non sa dirlo, povero.

Parliamo anche d'altro? Dài, parliamo d'altro. Con chi
vorrei passare una serata se potessi resuscitare qualcuno?
Con Rosa Luxemburg. Le chiederei ma come cazzo hai
fatto a trattare cosí male l'uomo che amavi. Tutte quelle
lettere a parlare di riunioni politiche senza mai una parola
d'amore. Lo so, lo sospetto perché, ma vorrei sentirlo da lei.

Se c'è qualcosa che non ho avuto il coraggio di dire a
qualcuno? Sí, questo. Amico mio: il tuo problema con le
droghe era un serio problema con le droghe. Non è vero
che ti ho lasciato per altri motivi. È una vecchia storia,
lascia perdere se piango. Quando parlo da sola allo specchio non piango, sono le pupille degli altri che mi fanno

piangere. Non ti impressionare, vai avanti. Ho già smesso. Anzi guarda: canto. La sai quella della luna? Fa cosí, è di un mio amico: per trovare «l'una» arriverai alla luna. Per trovare la persona unica per te devi solo cercare, vuol dire. Arriverai alla luna. Piango quando penso a come sono fortunata. Ho tante persone che mi amano, sono fortunata. Andiamo avanti.

Una giornata perfetta? Be' di certo una giornata perfetta comincia a letto. Ti svegli con la persona che ami e che ha voglia di farti il caffè. Si alza, va a preparare il caffè, senti l'odore, aspetti che torni. Gli sorridi. A pranzo mangi cose buone con chi ti piace, lavori e pensi sono una bomba, al lavoro, torni a casa presto e non sei stanca. Vai a dormire, parli un po' e ridi e piangi, fai l'amore anche tutta la notte. Ma puoi anche dormire coi piedi che si toccano, se sei davvero stanca. È meraviglioso anche cosí. Un abbraccio, senza sesso, quando sei molto stanca è perfetto.

Bagno

– Non è vero per niente che le ragazze vanno in bagno a parlare dei maschi. È una leggenda che si sono inventati i maschi. Si sentono sempre cosí centrali, mamma mia. Come se esistessero solo loro. Come se le ragazze pensassero solo a loro...

Forse dipende dal fatto che le ragazze vanno spesso in bagno in gruppo. I ragazzi è piú frequente che ci vadano da soli. In gruppo si parla.

– Brava. Loro si spaventano quando vedono il gruppo. Tre ragazze che vanno in bagno insieme li mettono nel panico.

Ma perché le ragazze vanno in bagno insieme?

– Per tenersi la borsa. Scambiarsi i trucchi. Per lasciare una fuori dalla porta a controllare che nessuno entri. Per mostrare una foto sul telefono. E poi altre cose un po' intime, private. Le ragazze hanno molta confidenza fra loro. Non è che tutto quello che fanno si deve dire. Ganci di reggiseni, assorbenti. Calze smagliate da fermare con lo smalto. Ci sono un sacco di cose da fare in bagno.

Ma non parlano di uomini.

– Non ci vanno per quello. Poi può capitare che una dica hai visto quel tipo, oppure hai sentito cosa mi ha detto. Ma non è la ragione per cui. D'altra parte anche i maschi quando restano soli capita che parlino delle femmine, no? Tipo quando sei in discoteca, le ragazze si alzano e vanno in bagno. I ragazzi che restano al tavolo di che parlano?

Secondo te?

– Secondo me di donne. Ma non proprio di donne. Di sé stessi rispetto alle donne. Delle loro intenzioni, delle loro prestazioni, di quello che immaginano di fare o vorrebbero. Cioè: parlano sempre di sé.

E intanto in bagno le ragazze?

– Le ragazze si dànno dei consigli. Guarda: i maschi sono molto sicuri di sé ma in realtà non si conoscono per niente. Le femmine si conoscono benissimo, sono super consapevoli, e però sono sempre insicure. Anche quando fanno le sbruffone, in realtà sono insicure. Piene di complessi, incerte. Perciò questo: in bagno vanno insieme anche per darsi un po' di coraggio.

Rispetto ai ragazzi.

– Sí, anche.

Quindi alla fine è dei ragazzi che si preoccupano, anche quando non ne parlano.

– Un po' sí, ma è normale. Quando sei in partita c'è bisogno dell'intervallo, no? Devi riprendere fiato, ogni tanto. Riposarti un momento, controllare se va tutto bene. Poi rientri in campo, e ricominci.

Profiterole

Elvira, ma se vuoi aprire una pasticceria perché ti sei iscritta a Fisica?

– Per fare un po' di ordine nella vita. Sono sempre stata brava a scienze. Cosí mi sono detta: studio fisica magari capisco le persone. I dolci posso farli da sola, mi vengono. È quando siamo in due che non ci capisco piú niente. Allora studio. Mi segui?

Non tanto.

– Guarda, sono dinamiche. Modelli teorici. Per esempio: hai notato che quando parli gli uomini non ti stanno a sentire? Si distraggono?

Capita, sí, ma forse dipende da quanto è interessante quello che dici. Anche le donne si distraggono.

– No. Facci caso. È diverso il modello di attenzione. Quello degli uomini è orizzontale, non verticale. Non si struttura in profondità ma per allineamento su un piano. Ci sei? Ti faccio un disegno?

Magari, grazie.

– Ecco. Linea orizzontale, linea verticale. Le donne impilano dal basso verso l'alto, fanno torri. Gli uomini da destra a sinistra. O anche da sinistra a destra, è uguale. Fanno strade. Case lungo le strade. Libri negli scaffali. Orizzontale.

Ho capito.

– Ecco. L'attenzione, lo scriviamo qui in alto maiuscolo, è attivata da tre componenti: 1) ascolto, 2) osservazione,

3) memoria. È come scattare una foto che si imprime nel cervello. Cervello lo mettiamo qui fra parentesi. È il pro- tagonista ma non entra nella funzione matematica. È il protagonista latitante.

Sí.

– Del resto quando incontri una persona interessante si dice che ti ha fatto impressione, giusto? Si imprime: come su una lastra fotografica. Ora dipende da dove la metti, questa lastra. Se la metti sopra un'altra, o accanto. In questo caso puoi decidere, se non hai spazio, di eliminare quel- la che c'era prima. Oppure di stringerle finché puoi. Se invece la impili, come fanno le donne, hai sempre spazio.

Ma sei sicura? Io non impilo mai niente.

– Scusa: non hai mai fatto un millefoglie? E al contra- rio un profiterole coi bignè? Il millefoglie lo puoi fare al- to quanto vuoi, i bignè a un certo punto non entrano piú nel vassoio.

Non li so fare. Però me li immagino. Vai avanti.

– Allora. Quando dopo che gli hai parlato due ore o ad- dirittura mentre gli stai ancora parlando, a letto, lui si addormenta e tu resti lí a guardare il soffitto almeno puoi dire: è il problema dell'attenzione: modalità archiviazio- ne orizzontale. Perché i bignè possono essere solo un dato numero, finito. Molto in alto non vai, la piramide crolla, puoi procedere solo di lato. Quindi lui o toglie i vecchi bignè, tipo la storia con la sua ex, e mette i nuovi, tipo la storia di adesso con te – ipotesi uno. O lascia la vecchia storia, facciamo il caso classico – la moglie – e tu stai lí in bilico sul bordo del piatto. Oppure li stringe. Appiccica. Ma cosí il profiterole si rovina. Capisci?

Ti sto seguendo. Ma la fisica cosa c'entra?

– La fisica è fondamentale. Ti dà l'impianto teorico. La griglia. Tu poi nella griglia ci metti dentro lui che hai davanti, fai due conti e capisci subito che uomo-attenzione è. Se ti puoi fidare o no. Se vale la pena infornarlo o se invece il dolce verrà male di certo, allora lasci perdere. Sí. Il verbo infornare mi fa un po' impressione. A parte questo, scusa: non è che nella vita facciamo solo le cose che vale la pena di fare. Voglio dire: tante volte le facciamo rischiando, senza troppi calcoli, solo perché ci sembra bello o giusto in quel momento, e in assoluto.

– E infatti ci sbagliamo. Impiliamo, impiliamo. Rischiamo. Facciamo dei millefoglie altissimi. Poi crollano di lato. Si accasciano. Ci deve essere un'armonia, una proporzione fra il rischio e il risultato. La matematica – la fisica – hanno la formula esatta. Hai capito?

Non sono sicura. Dev'essere che non so tanto di dolci, e nemmeno di fisica.

– Infatti. Bisogna studiare. Comunque tranquilla: anche il mio è un tentativo. Non ti posso assicurare che funzioni. Però penso: intanto studio, magari mi si illumina qualche zona cieca. Tempo perso non sarà. Almeno mentre studio non faccio altri danni.

Infatti, questo sí.

– Mentre studio sto zitta, non parlo. Non gli mando mail chilometriche, non gli invio sms. Non vado a controllare cosa fa su Facebook. Poi, se proprio mi stanco di studiare faccio un dolce, e lo porto a mia madre.

Turandot

Ma sí, certo che le ragazze guardano il porno. Anche io spesso, sí sí. Piú con attenzione professionale che per eccitarmi. Tranne che per alcuni porno dove le attrici non sembrano fingere: quelli mi piacciono. Le mie pornostar preferite sono Valentina Nappi e Sasha Grey. Sono proprio brave, sembrano due che ci mettono l'anima in quello che fanno. I pornelli quelli normali dove c'è la biondona che urla per finta non mi spostano niente. In generale mi piacciono piú le brune delle bionde, nel porno. Bisogna che provi a capire perché. Me lo segno sul quadernetto, aspetta.

Attenzione professionale, ho detto, sí. Lavoro in una radio, qui a Palermo, conduco un programma in cui con altri tre parliamo di sesso. È ironico, si ride ma si chiamano le cose col loro nome, senza ipocrisia. Con una certa libertà, con naturalezza. Qui in Sicilia ti puoi immaginare come si parla di sesso. Sempre ammiccando, sempre a denti stretti. Poi ci sono quelli che si prendono sul serio e fanno la lezione. Io penso che sia una cosa come bere il caffè. Lo fanno tutti ogni giorno, no? Tu come sei nata, come siamo venuti al mondo tutti? E allora? Solo che non te lo racconto nemmeno cosa è successo quando sono arrivata con la proposta del programma sul sesso, in radio. Clara la tettona, quella che fuma rollandosi le sigarette, la bellona sempre spettinata, chissà che storie.

All'inizio pareva che non ci fossero nemmeno dieci minuti in palinsesto, zero. Poi piano piano. La prima volta che ho messo piede nello studio, in cuffia davanti al microfono, gli altri speaker – tutti – facevano battute sul mio décolleté, quanto è sexy Clara, peccato che non possiate vedere come parla al microfono, che bocca. Ho staccato l'audio e ho messo in chiaro subito. O vi calmate e portate rispetto o la finiamo qui. Mi sono anche accesa una sigaretta, che là dentro non si può. Dovevo avere una faccia. Hanno detto ok ok, non si sono azzardati piú. Che fatica. Che poi guarda sono una palla tremenda queste tette gigantesche. Non so che farmene non so dove metterle. Mi limitano tutti i movimenti. Uno non ci pensa, se non ce le ha: non puoi correre, non puoi dormire bocconi, non ti puoi piegare troppo in avanti che ti guardano tutti, non puoi avvicinare la sedia al tavolo quando mangi perché finiscono sul piatto. A volte non ti riesci nemmeno a vedere le punte dei piedi. Non che guardarsi le punte dei piedi sia una priorità nella vita, ma è per dire. Se guardi in basso e invece dei piedi ti vedi le tette dopo un po' il panorama ti asfissia. Al liceo ci soffrivo tantissimo. Le tette di Clara qua le tette di Clara là. Mi sono sempre sentita a disagio da morire, sono cresciuta con la paura di essere volgare anche senza fare niente, volgare da ferma. Troppo aggressiva nell'aspetto, non so se rendo. Perciò sono dieci anni, da quattordici a ventiquattro, che mi vesto accollatissima, con questi maglioni di due taglie piú grandi, neri e sempre girocollo. Il mio fidanzato si lamenta dice che mi vesto da suora, ma mettiti un vestitino – mi fa. Non capisce, non capisce. Se ti vesti sobria sei una suora, se ti vesti scollata sei una zoccola. Tutto il tempo a calibrare i centimetri di stoffa, una vita a schivare sguardi, giudizi. No perché a me il sesso piace, ora ci ho preso confidenza ma non è che abbia avuto tutta questa facilità fin dal principio. Me la sono dovuta conquistare.

Per capirci. Di base sarei malinconica. Sono malinconica. Poi rido un sacco ma che c'entra, è come scambiare la carrozzeria per il motore. Non lo fanno gli uomini, no, quando vanno a scegliere la macchina? E allora perché con le ragazze non sono capaci? Io non ci credo che non sono capaci. È solo piú comodo far finta di non capire.

Comunque ti dicevo. Tendo a vedere nero. Quando mi sveglio giú, e capita spesso, mi stordisco con l'opera. A tutto volume, la *Tosca*. Mi prendo poco sul serio e penso, anzi temo, che nessuno mi prenda sul serio. Quando da ragazzina mia sorella Arianna, che fa la maestra, mi ha regalato un libro di Simone de Beauvoir me lo sono imparata quasi a memoria. Che tipa quella. Tostissima. Ho deciso che volevo essere come lei. Parlavo con le sue frasi: diciamo che questo non ha giovato alla mia fama. Te lo immagini: una con queste tette questo culo che andava in giro tutta vestita di nero declamando frasi per gli altri ragazzini incomprensibili. Poi ho il terrore delle malattie, da sempre. Sono una ipocondriaca grave, lo so da me. La mia ginecologa quasi non mi visita piú. Mi sente solo al telefono. Quando la chiamo per dirle che ho fatto sesso con uno sconosciuto e ho preso una nuova malattia venerea mi chiede solo, ma io lo sento che mentre mi parla continua a fare altro: ce l'aveva il preservativo? Certo che ce l'aveva, figurati se me ne dimentico. Allora ciao Clara, poi un giorno ci prendiamo un caffè.

Che poi non è che io vada di norma con gli sconosciuti. Sarà successo un paio di volte, ma di fatto erano conosciuti: nel senso che li avevo conosciuti quella sera, ci avevo parlato anche parecchio. Comunque stavo in ansia. Non

riesco a smettere di pensare alle malattie che posso prendere. Il sesso occasionale per gli ipocondriaci è un tormento.
Una fonte inesauribile di incubi. Sarà che sono cresciuta
negli anni Novanta, in piena angoscia Aids.

In tutto di ragazzi ne ho avuti una decina, direi. Ragazze
due. Sto piú tranquilla con le ragazze. C'è piú confidenza,
meno brutalità. Ma alla fine i ragazzi mi piacciono di piú.
Anche se ce ne ho messo del tempo a capire questa storia
del piacere: cioè che non dovevo solo far piacere all'altro
ma anche chiedermi cosa piacesse a me. Ho sempre questo assetto da mamma, con tutti. Mi prendo cura di loro.
La prima volta avevo quindici anni. Lo avevano già fatto
tutte mi pareva di essere in ritardo. Ero anche innamorata, dunque non potevo non farlo. Siamo stati insieme cinque anni e mezzo. Lui voleva sempre fare l'amore e io no.
Non so cosa c'era, non vengo nemmeno da una famiglia
bigotta, ma il sesso mi metteva in imbarazzo. Era l'epoca
che giravo coi libri in mano e declamavo. Poi un giorno
una mia amica, per caso, in una conversazione in bagno
cosí imbarazzante che non mi va neppure di raccontarte-
la mi ha detto ma cosa dici, Clara? Ma non è cosí: guarda
che tu hai il clitoride. Io non lo sapevo. Ho detto cosa sarebbe. Siamo tornate in classe e mi ha fatto un disegno.
Sul quaderno di matematica. Il pomeriggio, ho provato.
Pensavo oddio non voglio fare altro che questo nella vita. Poi credo che non mi sia piú piaciuto fare l'amore con
il mio ragazzo perché preferivo farlo da sola. Ha cominciato ad andare tutto meglio, da allora. Io infatti nel mio
programma la masturbazione la consiglio proprio come
una palestra, un laboratorio di scienze: una impara a conoscere il suo corpo, che è uno strumento, impara a farlo suonare. Tante donne hanno problemi col sesso perché

non si masturbano abbastanza, ne sono sicura. Sono una testimonial, anzi.

Da super romantica, ho problemi col tradimento. Non il tradimento fisico, che se una ragazza ti sale sopra e non ce la fai a resistere, una sera che magari hai bevuto, lo capisco. La passione del momento, vabbè. È il tradimento affettivo, l'intimità e la confidenza con un'altra persona, è il tradimento emotivo che non riesco a perdonare. Mangio un sacco di cioccolata, in quei casi, che mi fa male. Mi stresso con *Turandot*. Poi tronco. Qualche volta capita che cerchi qualcuno per andare a fare un giro, per distrarmi. Ma è un casino, perché gli uomini sono proprio maleducati – in generale. Tu lo sai che i maschi italiani sono i primi consumatori di porno in Europa? Ecco, io penso che ai maschi, diversamente che alle femmine, troppo porno non faccia benissimo. Perché non hanno tanto la capacità di distinguere la realtà dalla finzione, dopo. Nel sesso quello vero ci sono anche persone sudate, culi con la cellulite, peni piccoli, trucco sbavato, tette molli. Nel porno sono tutti bellissimi indossano stivali fetish godono concentrati le donne fanno finta di farsi piacere cose da vomito. Tecnicamente. A me per esempio una cosa che mi dà troppo fastidio è quando ti spingono la testa mentre fai sesso orale perché lo vedono nel porno e pensano che ti piaccia. Volevo dirlo proprio chiaro: fa venire i conati di vomito, sappiatelo. È una cosa disarmante, che lo facciano. Scostumati, sono. Maleducatissimi, proprio.

Una volta, per esempio

Alberta, Carolina. Le ragazze guardano il porno?
– Certo.
– Sí, certo.
In compagnia o da sole?
– Da sole.
– Da sole.
E se ne trae beneficio?
– Sí, ovvio.
– Be', sí. Che te lo guardi a fare sennò.
A parte il beneficio immediato, intendevo, si impara anche qualcosa?
– Da ragazzina forse, a tredici anni lo guardavo per capirci qualcosa. Ora, a ventidue, no. Solo per piacere.
– Sí, solo per piacere. Forse degli uomini, ancora, impari qualcosa ogni tanto. Tipo che dici: ah vedi i ragazzi fanno anche 'ste cose.
Quali cose?
– Ma non te lo so spiegare. Un modo di muoversi. Io per esempio una volta sono stata con un ragazzo che non guardava il porno, e si vedeva. Gli ho detto ma guardati un po' di porno, sennò qua...
– Poveretto, l'hai mazzolato.
Da cosa hai capito che non guardava il porno?
– Mah... stava lí impalato, non aveva fantasia. Era legnoso. Non so come spiegartelo. Un po' statico, ecco. Statico. Mi capisci?

Parte terza

Regina

Una mattina di maggio di quaranta, forse cinquanta anni fa la scolaresca di Monte Compatri in gita a Venezia sbarcò dal vaporetto al Lido dopo un viaggio lungo un giorno e facendo molto piú chiasso di quello che i professori pensavano di poter tollerare, camminò in eccitata fila per due fino al meublé *Regina*, che di tutte le pensioni era risultata l'unica che potessero permettersi. Era un edificio in parte chiuso, con le persiane pericolanti sigillate, un'ala ancora praticabile e un piccolo giardino incolto tutto attorno. Le stanze erano immense e Vanna fu accompagnata in una camera grande come la casa dove, in paese, abitava. Era al secondo piano, aveva una finestra piú alta di lei che guardava sul mare. Si vedevano le tamerici, la spiaggia deserta, tutta quell'acqua senza fine. Faceva freddo. Vanna pensò che fosse un castello, il piú bello che si potesse immaginare e disse a sé stessa che se avesse avuto una figlia l'avrebbe chiamata cosí. Regina.

Passarono gli anni. Il sesto figlio di Vanna fu un altro maschio. Tre mesi dopo era di nuovo incinta. Esausta, accolse le felicitazioni della suocera e delle vicine con una determinazione sconosciuta. Faccio una femmina, questa volta – disse subito. Regina nacque di maggio.

– Io voglio giocare a rugby.

– Cos'è rugby.

– È un gioco che mi piace. È come il calcio ma con la palla lunga.

– A calcio giocano i maschi.

– Chi l'ha detto? Comunque non è calcio, è diverso.

– Hai detto tu: come il calcio.

– Era per dire, mi sono sbagliata. È molto diverso.

– Va bene per le femmine?

– Sí mamma. Ci vado da sola, non mi devi accompagnare. Costa poco. Ti prego.

– Regina, tanto alla fine fai sempre come vuoi tu. Parlane con tuo padre.

– No mamma. Ne parlo con te. A papà che gliene importa. Vado lunedí, dopo la scuola. Servono venti euro per iscriversi.

– Sono tanti, venti euro.

– Li scali dalla paghetta per due mesi.

A scuola i ragazzi dicevano Regina somiglia a Timon, l'animaletto del *Re Leone*. Quello che ride sempre, quello con gli occhi grandi, quello che canta *Hakuna Matata*. Senza pensieri, la tua vita sarà. Che animale è Timon? Suricata, ha detto la prof. Una specie di topo gigante che sta in piedi. Regina sembra un topo, Regina sembra un topo. Ma lo sai che Regina gioca a rugby? Che roba è? Dài, rugby, una cosa da maschi. E poi lo sai che va a portare da mangiare ai barboni della chiesa e si mette lí a parlare con loro? L'ho vista, ci va la domenica mattina presto. È matta. Regina è matta.

Regina cresceva bellissima, estranea, solitaria. La piú brava a scuola, sempre vestita coi vestiti dei fratelli. Mai un suo paio di scarpe, mai un trucco. Capelli lunghi, neri e lucidi, gli occhi piú grandi della faccia, il viso bianco, la bocca rosa. Una principessa.

– Mamma, io vado a vivere a Roma.
– Ma che dici?
– Voglio studiare Lingue orientali.
– Che lingue? Lingue di cosa?
– Orientali. Ho trovato un lavoro, mamma. Una ragazza che mi ospita. Io vado.
– Parlane con tuo padre, non capisco cosa dici.
– Non importa mamma. Ho diciotto anni, mi sono diplomata. Qui al paese non resto. Io vado. Con papà ci parli tu.

Assistenza domiciliare. Perfetto. Un lavoro perfetto. Cosa devo fare? Stare con loro, sentire cosa serve. Benissimo. Allora cominci mercoledí. C'è una bambina, Anna, che non parla. Vai tre volte a settimana e le fai compagnia. Ci giochi. Benissimo, vado.

«Anna era una bambina autistica. Al principio non sapevo cosa fare, cosa dirle, dove mettere le mani. Poi piano piano mi sono messa a guardarla, ad ascoltarla. Non devi avere fretta, devi essere pronta all'insuccesso. Un passo avanti, due passi indietro. Però sono belle le cose semplici. Correre, fare le bolle di sapone. Siamo diventate molto amiche. Quando rideva mi sentivo cosí felice. La gioia pura. Abbiamo fatto milioni di bolle di sapone. Ho lasciato Lingue orientali, ho deciso che volevo capire Anna. Stava in un mondo persino piú affascinante e solitario del mio. Mi sono messa a studiare per fare l'operatrice sanitaria. Qualsiasi cosa, avrei studiato, per restare con Anna».

Passò altro tempo. Regina era terza linea della nazionale di Rugby, operatrice sanitaria, Anna la sua migliore amica. In autobus, tornando a casa una sera, conobbe Marco. Sei la ragazza piú bella che abbia mai visto. Smettila, non dire scemenze. Ti porto a mangiare una pizza. Smettila, non ti conosco.

A gennaio nacque Pietro. A dicembre dello stesso anno Brando. Due figli in un anno solo.

«Un tunnel. Ero disperata. Volevo partire per l'Africa, mi avevano scelta per una missione che avevo desiderato tantissimo. Ci sarei andata anche con un figlio di sei mesi, ma poi non ci potevo credere: il secondo, subito. Un po' l'ho odiata, quest'altra gravidanza. Non la volevo. Poi però ora che hanno cinque e quattro anni penso ma che donna sarei senza di loro? Davvero, sono la meraviglia del cielo. Si picchiano tutto il giorno, io li guardo e rido. Urlo, certo, anche. Ma soprattutto rido. Quando Brando aveva tre mesi sono tornata in campo, una partita di campionato. Mi sono rotta il crociato. Non te lo posso raccontare cos'è stato stare ingessata con un figlio di tre mesi e uno di un anno. Non ci sono le parole. Mi sono messa un brillantino nel naso, in quelle settimane. Ho cominciato a studiare swahili, perché prima o poi in Africa ci vado. Ora va meglio. Ora sono grandi».

– Regina è la piú brava di tutti, al lavoro, mi hanno detto.
– Ma cosa fa, esattamente?
– Sta coi bambini infelici.
– Cosa ci fa tua figlia coi bambini infelici? Ne ha già due suoi, sani. Che bisogno ha?
– È anche tua figlia, non solo mia figlia.

– Vabbè, tanto sapete tutto voi. Cose di donne, roba vostra. Lasciami in pace, che sono stanco.

«Una sera ho sognato mia nonna. Se potessi riportare in vita una persona vorrei indietro lei. Vorrei mangiare la pizza al taglio sul divano del soggiorno con la tv accesa, e parlare di cose cosí. Qualsiasi. No non è un pensiero triste. È un pensiero bello. Io non sono mai davvero proprio triste. A momenti, ma mi passa. Mi piace la vita, tutta, proprio cosí com'è».

L'estate scorsa i bambini erano insieme al campo scuola e Regina pensò guarda: due settimane libere. Cosa potrei fare, d'agosto? Marco le disse ti porto a Venezia, cerchiamo una pensione che costa poco e andiamo a vedere la città sull'acqua. No dài ti prego, Venezia no, andiamo in montagna. Sai cosa mi piacerebbe davvero? Imparare ad arrampicare. Andiamo a scalare, insieme? Con le corde, i chiodi. Non sarebbe fantastico?

«Sai cosa mi è successo? Quando ti insegnano ad arrampicare ti dicono subito che ci sono cose pericolosissime, che non devi fare assolutamente. E io per tutto il tempo pensavo: e se le faccio? E se invece decido di fare proprio quelle? Non te lo so spiegare è strano. Mi immaginavo di precipitare, e avevo paura. Ma non paura di cadere: paura di desiderarlo. Paura di perdere il controllo, di decidere di fare una cosa proibita che mi avrebbe fatto cadere. Era affascinante e fortissima, quella possibilità. Pericolosa da morire. C'è stato un momento che proprio ero in trance. Guardavo giú, uno spettacolo. Poi Marco mi ha chiamata. Urlava. Regina Regina Regina. Tre volte. Non lo so. Detto cosí sembra inspiegabile. Ma dopo la nascita dei figli, insieme a quello, è stato il momento piú bello piú vero e piú forte della vita».

– Dov'è tua figlia, in montagna? A fare cosa?
– Non lo so, parlaci tu. Chiamala.
– E i bambini? Con chi ha lasciato i bambini?
– Sono al centro estivo.
– Che roba è?
– Non lo so, una vacanza di città. Parlaci tu, ti ho detto.
– Io non ci parlo. È tempo perso. Siete matte. Affari vostri. C'è un guasto, nella testa delle donne.

Antigone

Agnese, se tu potessi passare una serata con una persona a tua scelta – anche se non la conosci, anche se è morta – chi sceglieresti?

– Antigone.

Antigone? Come mai?

– La vorrei guardare negli occhi e chiederle dove ha trovato il coraggio.

Dove la porteresti?

– Al parco, noi due da sole. Sedute sotto un albero a parlare. Le farei raccontare tutta la storia. Poi le farei delle domande, ma solo alla fine.

Le hai già pensate, le domande?

– Sí. Vorrei sapere come ha fatto a non aver paura del giudizio della gente, delle autorità, dei parenti, del re. Come ha fatto a fregarsene di tutti e fare la cosa giusta. Vorrei anche sapere come ha fatto a sapere con certezza che quella era la cosa giusta. Come te ne accorgi, da sola.

Questo. Come si fa a non avere paura quando prendi una decisione cosí.

E se ti dicesse che ha avuto paura?

– Infatti. Ma la sua ragione era un po' come una forza inevitabile. Sai chi mi ricorda?

Chi?

– Ilaria Cucchi, hai presente?

Ho presente.

– Il fratello, la polizia, la gente intorno che giudica. La legge. Non è proprio la stessa storia. Ma simile, no? Come certi la prendono in giro, per esempio. Io penso che anche Antigone devono tanto averla presa in giro, derisa. Devono averle detto ma chi te lo fa fare, ma lascia perdere, non ti conviene. Queste cose qui.

Un elefante

Ogni giorno in quel lontano e caldo mese di luglio la vecchia Zaynab svegliava sua nipote molto presto, prima delle sette, le serviva una tazza di latte sul tavolo di legno della grande cucina vuota, le diceva prendi la stuoia, Tasnim, e cosí, con sua nipote di cinque anni per mano, la stuoia a righe logora e pulita – la lavava ogni sera con un pezzo di sapone e la stendeva ad asciugare al filo teso fra l'orto e la casa – camminava per quasi un'ora lungo un sentiero stretto, attraversato da lucertole fulminee, fino al lago. La bambina è molto pallida, non cresce, mamma – le aveva detto sua figlia al principio dell'estate. È meglio che sia con te al campo, le uova da te sono piú grandi e l'aria piú pulita. Puoi tenerla? Zaynab, che viveva da sola, disse certo, portala e lasciala. Tasnim non parlava quasi mai, né sua nonna del resto. La vecchia faceva, la bambina guardava.

Al lago di Tabariyya, ogni mattina alle otto, la vecchia si toglieva il vestito scuro e restava con una tunica di tela cruda tesa all'altezza del ventre. Cosí entrava in acqua e nuotava. Con larghi gesti a semicerchio delle braccia si allontanava fino al largo, Tasnim aveva sempre paura che non riuscisse a tornare, ma – al suo ritorno – taceva. Aveva vergogna della sua paura. Le porgeva la stuoia, la guardava asciugarsi con gesti bruschi e rapidi, rimettersi il vestito nero. Insieme, in silenzio, tornavano a casa. Il sentiero in salita era piú faticoso, l'aria a quell'ora piú calda. Una mattina, quando la nonna tornò a riva, le disse: mi insegni a nuotare, baba? Non ancora, è presto. Sei troppo debole. Quando avrai mangiato abbastanza e avrai la forza ti insegnerò. Intanto guarda.

L'estate dopo Tasnim non tornò dalla nonna. Sua madre decise che avrebbe viaggiato con suo padre, piuttosto. La vecchia e la bambina non si rividero piú.

Passarono molti anni. Ci fu la guerra, ci furono i morti, le case furono bombardate e distrutte.

Passarono altri anni e Tasnim, a venti, si innamorò e seguí in Sicilia, a Trapani, quel ragazzo bruno che aveva conosciuto un giorno per strada con una macchina fotografica al collo, la sera le aveva detto faccio il fotografo di guerra, tre giorni dopo avevano fatto l'amore, un mese dopo lui doveva ripartire e le aveva detto vieni. Dài, vieni a vivere con me. Ti porto in un'isola bellissima.

«No io non somiglio a mia mamma. Somiglio a mia nonna. La mia famiglia mi dice cosí. Che sono uguale a mia nonna. Di lei ricordo meno di quello che vorrei. Che era bella, grassa. Che ballava per strada nelle feste e per me era incredibile vedere mia nonna, vecchia, che ballava per strada. Ho imparato da lei la *dabke*, la nostra danza. La sera tornavo a casa e provavo da sola, in camera, a rifare i gesti che le avevo visto fare nella musica. E poi mi ricordo che mi portava al lago di Tiberiade, sai quello dove Cristo ha camminato sull'acqua?, e lei cosí vecchia, con una pancia cosí grande, nuotava troppo bene, andava lontanissima».

– Mamma sei tu? Non sento bene. Pronto mamma.

– Tasnim, mi senti?

– Non ti sento, mamma. Dimmi come stai.

– Bene, non preoccuparti. Qui stiamo tutti bene.

– E la zia come sta?

– ...

– La zia? Come sta?

– Non so, Tasnim, sai che è al campo e non si può parlare con lei. Ma dimmi di te, invece. Come stai tu, com'è l'Italia, sei felice?

«Che domanda, cosa mi rende felice. Tante cose. L'odore del caffè la mattina. Il suono dei tamburi lontani. Quando parlo con mia mamma e lei mi fa gli scherzi al telefono per farmi ridere. Alessio che costruisce una panca in giardino. Quando ballo da sola».

Un giorno a Trapani certi amici le hanno detto sei bellissima, ma proprio bellissima. Vuoi fare un film? Tasnim ha fatto un film. Poi è tornata a curare i limoni nella casa della campagna di Trapani. È lei che la notte se ci sono rumori si alza. È lei che se bisogna calarsi nel pozzo a ripescare qualcosa, scende. Tasnim è invincibile, non ha paura di niente – dicono i ragazzi con l'accento siciliano e la birra in mano. Che fortuna, essere come Tasnim. Essere fidanzati con Tasnim. Avere Tasnim, dicono al suo ragazzo, Alessio. Lui le sussurra all'orecchio qualcosa in arabo – sono io a essere fortunato, sei tu che hai me – lei gli sorride, gli altri non capiscono.

«Io non ho paura di niente. Dopo che hai visto la morte niente ti fa piú paura. Ho vergogna. Di essere qui mentre

mia zia è sotto l'assedio, o in una tenda di un campo pro-
fughi senza acqua né cibo, né occhi di persone che la amano. Vorrei mia madre con me. Mia madre si chiama Hala,
che in arabo è il cerchio che circonda la luna di notte. Lei
è cosí, un cerchio di luce. Vorrei mio padre, che da bambina mi leggeva il Corano per addormentarmi. Non c'è piú
da tanto tempo. Vorrei il mio amico piú caro, porto la sua
lettera nel portafogli sempre, è una lettera che mi proteg-
ge. C'è scritto sto arrivando, vengo in Italia da te. Di lui
mi è rimasta solo la sua lettera. È tutto distrutto, dove sono nata. Non c'è piú niente, solo dolore. Però non bisogna pensare troppo al dolore. Cullarlo come un bambino
a volte sí, ma anche poi lasciarlo dormire nella culla. C'è
Alessio, che amo. Voglio avere tanti figli con lui. Voglio
una casa circondata di ulivi, di aloe vera, di limoni. Voglio che i nostri amici vengano qui la sera a fare teatro, a
cantare, a ballare. La bellezza. Questo».

– Tasnim, sono arrivati i soldi. È il tuo compenso per la
parte che hai fatto nel film. Chi l'avrebbe detto, hai visto?
Cosa vuoi che ci facciamo, amore? Partiamo, facciamo un
viaggio? Dove ti piacerebbe andare?
    – No Alessio. Vorrei comprare un elefante.
    – Un elefante?
    – Sí, un elefante.
    – Ma un elefante è un animale domestico? Tipo un
gatto?
    – No, certo, non come un gatto. Non sta in casa, ma se
lo educhiamo può stare in giardino.
    – Ma amore, dove si compra un elefante?
    – Si prende in India, lui viene. Lo mandano. Il fatto
è che quando penso al mio posto, alla mia casa c'è sempre un elefante con me. Allora se questa è la mia casa, la

nostra casa, manca l'elefante. Poi sarà tutto a posto. Poi possiamo fare i bambini.

– Vado a vedere su Internet. Non lo so Tasnim, mi sembra una cosa molto difficile.

– Vai. Però stai attento, deve essere femmina. Cerca bene. Un'elefante femmina. Si chiama Zaynab, la mia elefante.

Coraggio

Quanti anni hai, Jasmine?
Ventuno, la prossima settimana ventidue.
Da dove arrivi?
Damasco.
La tua famiglia è con te?
No. Mia madre ha lavorato per darmi i soldi del viaggio, ma non ne aveva anche per sé.
E tuo padre?
Non ho padre. Ho solo madre. Lei è madre e padre e famiglia. È la donna piú forte che abbia conosciuto nella mia vita. Vorrei diventare come lei. La amo.
Come sei arrivata?
Nelle barche, attraverso il mare.
Sei innamorata?
Sí.
Cosa significa essere innamorati?
È qualcosa che ti rende piú forte. Ti fa tornare la speranza in tutto. Ti rende coraggiosa.
Cosa sei capace di fare per amore?
Qualsiasi cosa. Si può fare qualunque cosa per amore.
Dimmi una cosa coraggiosa che hai fatto per amore.
Quando sono arrivata in Europa con la barca poi sono andata in Svezia. Lí ero rifugiata. Ma il mio ragazzo era in Italia, cosí sono scappata dalla Svezia e sono venuta in Italia per cercarlo. Tutti mi dicevano non farlo, non hai i

documenti, ti prenderanno, è pericoloso, resta qui. Sono partita invece. L'ho trovato.

Sei clandestina?

Sono partita e mi hanno tenuto i documenti in cambio dei soldi. Non ho un passaporto, me lo hanno preso. Se questo è clandestina, sí.

Hai paura?

No. Ho avuto paura quando sono partita, dolore per mia madre che restava. Ora che ho lasciato il mio Paese, ho viaggiato il mare, ho attraversato l'Europa: mi sento libera. Ho voglia di fare molte cose. Studiare, la cosa piú importante. Poi avere una casa, una vita in pace, dei figli.

Cosa faresti se avessi, ora, molti soldi?

Farei venire mia madre. Proverei ad aiutare qualcuno, magari nel mio Paese. Vorrei salvare delle persone. Poi viaggerei in tutto il mondo.

Parlavi di figli. Vuoi una famiglia?

Vorrei dei figli. Forse anche un buon marito. Forse. Ma prima serve un lavoro e per averlo devo studiare. Poi penso che adotterei un bambino.

Vorresti adottarlo, non averne uno nato da te?

Magari le due cose, ma prima adotterei. Ci sono tanti bambini che hanno bisogno di trovare un genitore. È piú utile, piú urgente adottare che avere un figlio proprio, ora, penso.

Mio nonno

No, no. Non vorrei passare una serata con una persona famosa, con il mio cantante preferito o cose cosí. Sarei in imbarazzo. Se potessi davvero scegliere una persona fra tutte, viva o morta, vorrei riavere una domenica con mio nonno. Lino. Si chiamava Lino e faceva il custode di un parco, qui a Milano. La domenica presto, prima dell'orario di apertura, lui mi portava al parco. Aveva le chiavi del cancello. Scendevamo al laghetto, poi ci stendevamo sull'erba e passavamo il tempo cosí, a tirarci le more. Dopo lui andava ad aprire le porte per tutti, e piano piano arrivava la gente. Allora noi facevamo come se fossero i nostri ospiti, come se avessimo dato una festa nel parco del nostro castello e li avessimo invitati. Mano a mano che entravano lui mi diceva i loro nomi, ecco la signora Fossati con i suoi figli Demetrio e Gelsomina, ecco il dottor Vellecchi che viene a passeggiare col suo cane, porta il bastone perché è caduto da cavallo da giovane. Inventava, certo, ma io allora credevo che li conoscesse davvero. Certe volte, quando il nostro ospite era molto importante – ecco la marchesa Dominici con il suo secondo marito, un giovane ufficiale eroe di guerra – io mi alzavo e prendevo i lati della gonna per fare un inchino. Dopo ridevamo tantissimo. Non è da tutti avere un nonno custode. Non succede tutti i giorni di poter dare ricevimenti, nel tuo parco.

Girini

Una mattina di ottobre una bambina di sette anni si sve-
gliò. Si scostò dal viso una ciocca di capelli rossi e nel farlo
fece cadere l'orso Baloo, lo raccolse e vide nel letto accanto sua sorella Clelia che dormiva dunque pensò è presto,
non è ancora ora. Restò cosí, con gli occhi verdi aperti a
pensare che quella mattina a scuola avrebbero messo i rospi nel terracquario, la teca di vetro era lí vuota e pronta
in fondo all'aula, stamattina la maestra avrebbe portato i
rospi, chissà se li avrebbe tirati fuori dalla borsa. Come si
portano i rospi, pensò. In mano no, forse in una scatola,
e la scatola nella borsa.

In quel momento entrò sua madre, una donna alta bianca e sottile con un volto irlandese da violoncellista e una
leggera apprensione nello sguardo. Chiamò per nome le tre
figlie, come ogni mattina. Prima le due piú piccole, gemel-
le di cinque anni, perché sapeva che avrebbero anche quel
giorno protestato: una avrebbe detto no, di nuovo a scuola no ci siamo già state ieri, l'altra avrebbe detto infatti,
quante volte ci dobbiamo andare, ora basta.

Cecilia le ascoltò ripetere le parole di ogni giorno pensando certo, loro non ci vogliono andare a scuola perché non
hanno i rospi, e aspettò che fosse il suo turno. Quando la
madre si chinò su di lei sfiorandole il viso coi lunghi capelli
identici la bambina si alzò subito seduta e disse «posso mettere la camicetta a fiori stamattina, mamma?» Ma non sentí

queste parole: sentí dei suoni di caverna che non conosceva, come un singhiozzo roco. Lo ripeté. Questa volta non sentí niente, solo un dolore fortissimo in gola e nel petto. Ebbe paura. Cosa mi è successo, pensò. Perché non sento quello che dico. Guardò sua madre con occhi grandi di domanda e di spavento. La madre la prese per le spalle, la scosse forte. Cecilia provò ancora a dirle della camicetta. Fu inutile, quella e tutte le altre volte dopo. La sua voce era andata via.

E con la voce se ne andarono – chissà dove, chissà perché – anche le gambe e le braccia, con la voce era sparita la vita nel corpo. La bambina non poteva piú muovere sé stessa, senza ragione e all'improvviso. Si era rintanata tutta nella testa: era ancora lí ma aveva perso i comandi di sé. Furono ambulanze e camici, odori di disinfettanti e luci blu intermittenti. Furono parole remote e sussurrate, notti insonni e immobili. Il grande silenzio ebbe inizio. La voce era rimasta solo, fortissima, dentro di lei. Le diceva alzati, Cecilia: spiega a mamma e papà che stai bene. Fuori nessuno la sentiva. Fuori pensavano che la malattia avesse rotto la bambina per sempre. Pensavano che fosse incapace di capire, di sentire. Che stesse morendo.

La bambina non morí. La sua grande voce nella testa, ancora difettosa con le *t* e con le *d* che non aveva mai imparato bene a pronunciare, parlava senza sosta con le pance dei medici e degli infermieri, perché solo quello dal letto vedeva, voltando la testa: bottoni di camici all'altezza della pancia. Ascoltava e rispondeva alle voci dei compagni di classe che ogni giorno, ogni giorno uscivano dal registratore che qualcuno accendeva sulla sedia di plastica accanto a lei. Vedeva le cassette entrare nel registratore, una mano azionare il tasto al centro e sentiva Silvia, Alessio, Federica e Marco che le raccontavano dei rospi: stanno sempre fermi, li guardiamo tutta la mattina ma non si muovono, solo dagli occhi si capisce che sono vivi. Sono bruttissimi. I girini non sono ancora nati. Sentiva la maestra Francesca che diceva ti aspettiamo, Cecilia. Ti aspettiamo per vedere insieme i girini. Torna.

La bambina pensava che i rospi fossero belli, invece. Anche loro immobili e muti.

Un giorno girò la testa sul cuscino e vide finalmente i volti. Qualcuno doveva aver spostato il suo letto. Vide un medico che parlava con suo padre e sua madre. Erano oltre il vetro. Il medico scuoteva la testa, diceva no. La madre parlava ma lei non poteva sentirla. La voce, non sentiva la voce. Voleva andare da lei ad abbracciarla, voleva chiamarla. Le venne da piangere.

Passò del tempo. Il giorno che arrivò la telefonata della vecchia maestra Francesca Cecilia aveva appena compiuto ventitre anni. Doveva uscire quel pomeriggio con Andrea, il suo ragazzo. Un allievo della sua stessa compagnia di teatro. Prima solo amico e compagno di prove poi una sera: l'amore. Dovevano parlare di Ofelia, la sua prossima parte. Aspettami un'ora, gli disse con la sua voce arrotata e limpida. Solo un'ora. Vado a trovare una persona e torno subito. Aspettami qui, al tavolino di questo bar. Torno subito.

La maestra abbracciò la bambina diventata donna e si commosse con le lacrime. Sentí la sua voce e non la riconobbe. Sembrava quella di qualcuno che ha imparato l'italiano da grande, che deve pensare e scegliere attento ogni parola. Era una voce che prima di arrivare alle labbra fa-

ceva un viaggio lungo, dal petto alle mani alla mente alla bocca. C'era qualcosa, in quella voce, di ipnotico. Di
meccanico e dolce. Una voce stupita. La maestra le chiese, dopo molti racconti e solo alla fine di tutto, se per caso ricordasse qualcosa, e cosa, dei suoi mesi in ospedale.
Cecilia disse non me lo hanno mai chiesto, sa, maestra. I
suoi occhi verdi e ridenti la guardarono a lungo tra le len-
tiggini e ripeté: mi ricordo, sí, ma nessuno prima d'ora me
lo aveva mai chiesto.

La voce della ragazza cambiò. Fu come se dal passato
tornasse la bambina a prenderla per mano. Aveva ancora
le *d* e le *t* difettose, ma non tanto quanto allora. Solo un
poco, come due voci che parlano insieme e si mescolano.
Sorridendo alla maestra, la voce della bambina e quella
della ragazza per la prima volta dissero, senza spavento
ma con stupore, quello che Cecilia aveva visto.

Mi ricordo, disse Cecilia per mano a sé stessa.
Mi ricordo che volto la testa sul cuscino e vedo dietro
una parete di vetro opaca queste due persone: sono i miei
genitori. Aspettano. Penso: aspettano me. Voglio andare
da loro ad abbracciarli. Guardano per terra e si tengono
le mani. Mia madre è seduta con le mani sulle ginocchia,
piú avanti. Mio padre è accanto, ma un po' indietro, tiene
le sue mani sulle mani di mia madre. Tutte quelle mani sulle
ginocchia di mia madre, vedo. Quante mani sono? Penso
che stiano piangendo. Stanno piangendo. Voglio andare
da loro a dire state tranquilli, sono qui. Ci sono ancora.
Eccomi, non mi vedete?

La maestra non trovò altre domande. Disse solo, come
parlando a sé stessa: avevi paura?

No, rispose la bambina. La ragazza e la bambina dentro dissero: no. Non avevo paura, sapevo che dovevano nascere i girini e li aspettavo. Perché – i suoi occhi verdi d'acqua cercarono il ricordo – quella mattina la mia compagna di banco, Silvia, si ricorda Silvia maestra?, mi aveva detto dal nastro – la sua voce mi aveva detto: i girini nascono domani, forse. E infatti il giorno dopo, o forse due, non so, tutte le voci dei compagni gridavano dalla sedia di plastica accanto al mio letto e mi dicevano sono nati, sono nati. Sono tantissimi. È il ricordo piú bello della mia infanzia. Stavo lí, come in un'incubatrice. Davanti a me, sul viso, c'era qualcosa che mi copriva. Qualcosa di plastica. Mi sentivo imprigionata, con un senso di claustrofobia come se non potessi respirare. Ero distesa in basso, dal letto vedevo solo pezzi di persone. I bottoni sulla pancia. Però pensavo ai girini. Mi devo sbrigare, pensavo. Devo andare a vederli. Ero felicissima.

Poi, raccontò Cecilia alla maestra, vennero i mesi e gli anni in cui la voce che se ne era andata insieme alle gambe e alle mani doveva tornare. Tutti dicevano: deve tornare. Io la sentivo sempre dentro e non capivo tornare da dove. Tornare come. Di quegli anni non mi ricordo tanto, disse. Solo di quella volta che indicavo sulla lavagnetta con le lettere la parola Cipster, perché volevo le patatine Cipster che erano nel mobile, e nessuno capiva questa parola facilissima: Cipster. Dicevano cose assurde e io pensavo: ma come fanno a non capire. Una rabbia tremenda.
Mi ricordo anche che non mi piaceva la notte, il buio. All'ospedale non era mai buio e a casa la notte volevo la luce accesa, volevo vedere sempre. Preferisco vedere tutto, anche adesso sorrise.

Poi, aggiustandosi il primo bottone della camicetta di organza a fiori rosa, la ragazza disse sarà meglio che vada, adesso. Andrea mi aspetta.

Ma i girini, Cecilia, ti ricordi di quando sei venuta a scuola a vedere i girini?, domandò per non lasciarla andare la maestra.

La bambina la guardò diritto negli occhi per un minuto intero. Occhi grandi, stupefatti. Una voce piena di gratitudine e pudore, disse: mi scusi, mi sono distratta a pensare. Certo, erano tantissimi. Li vedo ancora adesso. Un'infinità di piccolissime code. Lo sapevo che erano lí: mi stavano aspettando. Bravi che non vi siete arresi, bravissimi proprio, ho detto ai rospi. Poi ho detto: ciao, girini, come va? Cioè non l'ho detto. L'ho solo pensato perché parlare non potevo ma io, se ci penso, ancora oggi sono convinta di averlo detto. Parlavo, ma gli altri non mi potevano sentire. Anche i girini del resto di sicuro si parlano. Solo che noi non li sentiamo, disse la ragazza con voce di bambina. Quella voce con tutte le *t* e tutte le *d* ancora da aggiustare per mano all'altra voce: vigile, adulta, vicina.

Poi si alzò in piedi e salutò con abbracci due volte, si vedeva che nella contentezza aveva fretta di andare. – Andrea è il mio primo ragazzo, sono molto molto innamorata, – disse arrossendo il volto irlandese. Le *t* erano all'improvviso di nuovo al loro posto, perfette, e uscí dalla porta ridendo.

Compiti

C'è soprattutto questo fatto che io pensavo che fosse colpa mia. Sentivo una rabbia tremenda contro me stessa perché non ero come volevano loro. Cercavo sempre di accontentarli di essere gentile, gli facevo tutti i compiti, cercavo in ogni modo la loro benevolenza ma niente. Postavo le foto su Facebook, mi mettevo dei vestiti corti e aderenti poi usavo quei programmi per modificare le immagini, le miglioravo. Speravo che mettessero «mi piace» ma niente. Mi dicevano che ero grassa, che ero bassa. Mi dicevano che ero lesbica, che nessun ragazzo mi avrebbe mai voluta perché ero cosí brutta che solo una donna avrebbe potuto amarmi. Mi chiamavano buzzicozza. E altre cose che non mi va di ricordare.

Soprattutto le ragazze. Erano soprattutto donne. Molto carine, magre, ammaliatrici. Avevano tutto. Amici, fama, soldi. Facevano le modelle per il negozio di abbigliamento piú caro del mio paese, abiti di stilisti che poi usavano per farsi le foto su Instagram. Andavano anche bene a scuola. I compiti glieli facevo io. C'erano anche i maschi, certo. Ma le ragazze erano molto piú cattive. Crudeli. Per strada passavano in gruppo, anche quelle di altre scuole, e dicevano ad alta voce guarda quella è la lesbica, la grassona del Murialdo.

A sedici anni ho iniziato a non mangiare piú. Ho perso venticinque chili. Poi le abbuffate e il vomito, ma a casa mia non se ne è mai accorto nessuno. Anzi, i miei erano contenti che fossi dimagrita. Mangiavo di nascosto e poi andavo in bagno ma non se ne accorgevano perché lo facevo quando non c'erano e poi pulivo tutto col disinfettante, e quando mia madre tornava le dicevo mi sono dedicata a pulire un po' la casa, e lei brava, Sara, che brava che sei. Mia madre è la persona piú sicura e forte che conosco. Lei si considera una cattiva madre perché ha lavorato troppo, dice, ed è stata poco con me e mio fratello piccolo. Ma non è vero. Ha realizzato i suoi sogni, non deve screditarsi, ha fatto bene cosí. Mio fratello poi è venuto giusto. È spavaldo, ha molti amici. Se va male a scuola pazienza, è bravo nello sport.

Avevo quattordici anni, primo anno di liceo. Ero un po' piú timida, ci mettevo tanto per arrivare a scuola perché abitavo lontano, non ero come loro. Ero normale. Una volta una di loro mi ha detto se vuoi venire alla mia festa mi devi fare i compiti. Glieli ho fatti, e lei ha detto che la festa era stata annullata. Non era vero, ho visto le foto su FB due giorni dopo ma non ho detto niente. Ho pensato che forse non le avevo fatto i compiti abbastanza bene. Da allora hanno cominciato tutte a chiedermeli, e io glieli facevo. Stavo fino a notte, con calligrafie diverse, poi la mattina presto gli restituivo i quaderni. Loro erano furbissime perché non si facevano mai vedere dai professori quando mi facevano gli scherzi, tipo togliermi la sedia e farmi cadere, poi ridevano, ma sempre al cambio dell'ora. Una volta un ragazzo di quarta mi ha detto se vuoi dimostrare che non sei lesbica c'è un modo. Vieni oggi pomeriggio al portico. Sono andata, lui era lí con i suoi amici. Mi ha detto adesso devi venire con noi e fare quello che ti diciamo, cosí ti togli la fama. Io ho avuto paura, sono andata via. Non mi hanno nemmeno seguita, si vede che non gli importava che me ne andassi. Li sentivo dietro che ridevano. Da allora hanno cominciato a prendermi in giro anche i maschi, ma c'erano sempre le ragazze con loro. Una mattina finalmente mi hanno invitato a una festa, di venerdí sera. Mi hanno lasciato il biglietto sul banco. Io mi sono messa un vestito di mia madre, corto, e sono andata. Di quella sera non voglio parlare. Non l'ho mai raccontato a nessuno e non mi va di farlo. È stato il giorno piú brutto della mia vita. Dopo loro hanno continuato a bere e a sentire la musica e io sono tornata a casa a piedi, da sola. Soprattutto avevo paura che mia madre mi dicesse che le avevo rovinato il vestito.

A diciassette anni mi sono innamorata. C'era un ragazzo, a scuola, gentile. Stava sempre da solo anche lui. Ci siamo aiutati. Ci siamo anche baciati, dopo un po' di tempo. Lui si vedeva che voleva difendermi ma non ce la faceva. Però voleva. Dicevano che era autistico, ma non era vero. Era solo timido. Gli facevano scherzi bruttissimi. Lui diceva poveretti, lasciali stare, non vale la pena arrabbiarsi. Io li volevo denunciare, volevo parlare coi professori ma non avevo il coraggio. Erano gli stessi che facevano i bulli anche con me, erano di famiglie importanti del paese, poi dopo sarebbe stato anche peggio. Con Massimo alla fine ci siamo lasciati. Ha cambiato scuola, i suoi si sono trasferiti a Viterbo e non l'ho visto piú.

A un certo punto i professori hanno chiamato i miei genitori per dire che ero troppo timida, troppo chiusa, forse avevo bisogno di uno psicologo. I miei dicevano, fra loro a casa quando ero nella mia stanza, che ero cosí di carattere e lo psicologo forse non serviva. Un'esagerazione, diceva mio padre. Però mamma mi ha portata, alla fine, senza dirglielo. E cosí lo psicologo ha scoperto della bulimia nervosa, delle violenze e del resto. Sono stata io a decidere di ricoverarmi. Mi avevano detto che c'era un centro a Todi, ho chiesto se si doveva fare un esame per entrare. Nessun esame, mi hanno risposto. Ho convinto anche mio padre: solo per qualche mese, ho detto, e sono andata via. Avevo diciotto anni ormai, potevo decidere.

Ora va meglio. Mi consola molto non essere mai sola, qui al centro di cura. Posso stare in tuta, mettere i vestiti larghi che mi pare. Le assistenti e i medici sono gentilissimi. Mi sono fatta un piercing all'orecchio, mi sono tagliata i capelli. Mi sono anche innamorata di nuovo, ma lui non lo sa. Bisogna stare attenti con l'amore: non bisogna mai annullarsi per un altro, però ci si arriva vicini. Bisogna vigilare.

L'anno prossimo quando guarisco voglio andare all'università. Voglio diventare insegnante di storia e italiano e latino in un liceo, voglio andare a lavorare a Firenze. Ci sono stata in gita, a Firenze, è bellissima. Vorrei essere piú alta e piú magra, ma poco a poco sto smettendo di pensarci. Magari lo trovo lo stesso un ragazzo che mi vuole bene, a Firenze. Non conta mica solo la bellezza. Anche la gentilezza, penso. Però non sono ancora pronta. Devo prima essere molto sicura di non sentirmi piú smarrita. Perché vorrei avere quattro figli, due maschi e due femmine. E per avere i figli non si può essere una persona debole. Bisogna essere sorridenti e sicuri di sé. Forti e diritti. Bisogna essere un po' come mia madre.

Mani

– Ti devo raccontare una cosa.

– Dimmi.

– Strana però.

– Dimmi.

– Sabato sono andata al cinema con Matteo, e lui a un certo punto mi ha preso la mano. Cioè ha messo la sua mano sulla mia. Sul bracciolo della poltrona, capito come?

– Capito, sí.

– È stato strano.

– Perché dici strano?

– Lí per lí mi ha spaventata. Era calda, la sua mano. Pesava. Volevo togliere la mia, sfilarla da sotto, ma ho resistito. Non è stato brutto, insomma, alla fine.

– Perché doveva essere brutto?

– Non lo so, avevo paura. Io non mi faccio toccare da nessuno.

– Come non ti fai toccare da nessuno.

– Da nessuno. Né mani né abbracci, niente. Nemmeno baci, certo no. Da quando avevo nove anni ho deciso di non farmi piú toccare.

– Sono dieci anni che non ti lasci toccare da nessuno? Neppure dai tuoi genitori?

– Piú di tutto da loro. Sí, sono dieci anni.

– Ti ricordi quando hai deciso, e perché?

– Certo. Mi hanno fatto arrabbiare tantissimo. Hanno trattato male la mia migliore amica: le hanno detto una cosa che l'ha fatta piangere. Se l'avessero fatto a me sa-

rebbe stato meglio. Eravamo in camera a giocare, loro sono
entrati e le hanno detto una cosa che l'ha fatta vergognare.
Io non ci potevo fare niente. Mi è venuta una rabbia come
se ci fosse fuoco dentro il corpo. Non vi voglio toccare mai
piú, ho deciso. Li ho guardati e ho pensato: io non vi tocco,
voi non mi toccate mai piú.
– E non ti è passata la rabbia, dopo un po'?
– No, non mi è mai passata. Cioè l'arrabbiatura sí, ma la
decisione è rimasta. All'inizio un po' avevo voglia di lasciarmi toccare da mia madre, mi costava respingerla, mi veniva
il magone. Poi il desiderio è scomparso e tutto è diventato
normale.
– E loro?
– Loro erano dispiaciuti ma si sono abituati. «Emma non
vuole essere toccata», dicevano ai loro amici. Come se dicessero, non so: «A Emma non piace il formaggio». Cosí.
Tranquilli.
– E con le amiche? Coi ragazzi? Non ti ha mai presa per
mano nessuno?
– Mai. È bellissimo sai? Se nessuno ti tocca è bellissimo.
Ti senti forte, invincibile, quasi di un altro mondo. Come
un essere venuto da un altro posto, ecco. Ti senti estranea a
tutti, li vedi come se fossero di passaggio. Tanto sono tutti
di passaggio, in effetti. È meglio, perché ti abitui presto:
ti alleni per quando spariranno. Capito come?
– Capito. E con Matteo, adesso, come farai?
– Infatti è un problema. Da quando mi ha preso la mano
mi sembra che mi abbia contaminata: come se nella mano ora
ci fosse una ferita da cui esce tutta la mia energia. Sai quando senti che ti stai dissanguando? Cioè te lo immagini, non è
che ti dissangui. Però è stato bello, anche. La sua mano, dico. Strano ma bello. Infatti te ne volevo parlare. Tu come fai
quando una cosa ti piace e ti fa stare bene ma hai paura, anche,
che alla fine ti faccia stare male? C'è una regola, piú o meno?

Parte quarta

Insieme

Chiedo a Giulia e Francesca di presentarsi da sole. Come fareste in un video su YouTube, dico disinvolta. Si sistemano sedute spalla a spalla. Giulia ha una felpa mimetica indossata al rovescio, col cappuccio davanti, Francesca una maglia viola con dei simboli che non riconosco. Hanno capelli castani lunghi e lisci, la divisa in mezzo. Entrambe portano gli occhiali, montatura grande, nera. Si voltano all'unisono una verso l'altra, si guardano serie, all'unisono iniziano a parlare. Tre volte, insieme. Sorridono leggermente senza perdere la severità. Prima tu, no prima tu. Ok prima io.

Giulia, tredici, e Francesca, quattordici – una comincia la frase, l'altra la finisce – si sono conosciute in terza elementare al pigiama party di una ex migliore amica comune, Irene. Vivono a Bovisio Masciago, provincia di Monza Brianza. Da cinque anni stanno scrivendo un romanzo un po' stile *Shadowhunters*, da due lo pubblicano su Wattpad. Sono ex arianetor, ora seleniste. Il loro pegno di amicizia è un bracciale multifandom che Francesca però oggi ha dimenticato a casa. – Scusami, – dice sottovoce guardando Giulia. – Figurati –. Continuano. I personaggi del loro libro sono un po' come i Nascosti e i Mondani, se ho presente.

Prendo tempo. Chiedo della ex migliore amica comune. Cioè se sia stata prima migliore amica dell'una e poi dell'altra e quindi sia diventata ex in due momenti diversi o se fosse migliore amica di tutte e due insieme, e allora come facevano a non essere già anche loro amiche avendo una migliore amica comune, e in quel caso se sia diventata ex nello stesso momento e anche, in questo caso, perché. Ho parlato due minuti. Mi guardano in silenzio.

– Prima era amica mia poi sua, – dice Giulia.
Ah, ecco. Bene. Poi volevo essere sicura di come si scrive «arianetor». Due *a* e una *e*?
– No, tutte *a*. A-ria-na-tor. Come Ariana, no?
Giusto. E anche seleniste cosí come si dice.
– Certo. Ariana e Selena.
Sí, sí.
– Ariana Grande e Selena Gomez, – mi guarda negli occhi Francesca.
Sí, ho scritto giusto, grazie.
– Anche tu pubblichi su Wattpad?
No, veramente io no.
– E allora dove?
Mah, sui giornali. A volte nei libri.
– Sí ma non hai cominciato su Wattpad a scrivere libri?
– No Giulia. Forse quando ha cominciato lei, a scrivere, Wattpad non esisteva.
Infatti, non esisteva. E voi come vi trovate? Raccontatemi un po'. Inviate i capitoli per mail e dopo...
– No non per mail. Scriviamo sul telefono, li mandiamo in wi-fi. Da scuola, in genere, ma anche da casa. Importante è che ci sia il wi-fi, che siamo sempre senza credito. La fregatura sono i messaggi in segreteria. Tu stai lí a

sentire i messaggi che ti lascia qualche pirla e cosí finisci il credito. Anche il televoto lo consuma, ma la segreteria di piú. Bisogna parlarsi solo su Whatsapp, lo dico sempre.

Infatti, la segreteria può essere un problema. Quindi scrivete da scuola. C'è il wi-fi a scuola.

– Sí sí. Poi leggiamo i commenti a quello che abbiamo scritto, e andiamo avanti.

I commenti sono molto utili. E la prof di italiano lo sa che state scrivendo un libro?

– Certo, però lei è una fangirl di Eicpi, non di *Shadowhunters*.

La prof di italiano è una fangirl di…?

– Di Harry Potter. Lo stiamo facendo nelle ore di antologia.

Appunto. E invece *Shadowhunters*…

– Forse l'anno prossimo, ha detto.

I Nascosti e i Mondani, l'anno prossimo…

– Sí ma forse invece facciamo Percy Jackson. Abbiamo fatto un referendum in classe e la maggioranza ha votato Percy. Che poi lei ha detto che è anche piú contenta cosí facciamo qualche approfondimento sui Pezzi Grossi. Io comunque ho detto che è meglio se facciamo tutti e due.

Scusa, i Pezzi Grossi?

– Tipo Poseidone, il padre di Percy. Gli altri due sono Ade e Zeus. Ma che non li conosci? A scuola tua non li facevano?

No, sí. Li conosco. Ma non si chiamavano cosí.

– E come si chiamavano…?

No, sí sí. Sempre cosí. Zeus, eccetera. Ma insomma il vostro libro di cosa parla?

– Te l'ho detto, la protagonista è una shadowhunter, metà ragazza e metà angelo. Però la nostra vive a Bovisio Masciago e si chiama Carlotta.

Ah, Carlotta. Ne conoscete una davvero che si chiama Carlotta?

– Sí, era una nostra compagna di taekwondo. Sai il tipo: fan di Cameron Dallas. Un po' depressa un po' fanatica? Cameron Dallas.

– Sí, che poi Cameron è partito su Vine facendo le cretinate con gli amici. Poi certo ora su YouTube è la star. Ma insomma quel genere di ragazzo lí. Un po' carino, un po' scemo.

E lei, Carlotta, lo ama.

– Sí, ma non proprio Cameron. Un tizio tipo lui che si chiama Filippo e vive a Milano. Ma solo la metà di lei lo ama. L'altra lo detesta. E poi ci sono di mezzo gli angeli, che sono sempre meglio dei vampiri, no?

Senza dubbio. Cioè dipende dai gusti. A voi comunque Cameron non piace.

– No, no. Se proprio mi devo rilassare meglio i commentary di Awed, o di Daniele Doesn't Matter. O i challenge di Me contro Te. Gli italiani, ci piacciono di piú.

Un esempio di challenge?

– Ma che ne so, la sfida a chi mangia piú cannella a cucchiaiate. Fa piú ridere. Anche l'accento fa ridere. Sai il siciliano, il pugliese... A noi piacciono i ragazzi che ci fanno ridere.

Serissime, Giulia e Francesca all'improvviso tacciono. Hanno finito.

Ma voi un ragazzo ce l'avete?

– No.

– No.

E siete innamorate?

– Io no.

– Io sí, ma tanto è inutile.

In che senso, Francesca, inutile?

– È inutile perché lui non mi vede. Ho gli occhiali. Le ragazze con gli occhiali i maschi non le guardano.

Capisco. E tu vorresti togliere i tuoi occhiali?

– No, io me ne frego. Una volta, da piccola, li odiavo. Adesso mi piacciono. Peggio per lui, penso.

Giusto. Cioè intendo: non per lui. Per gli occhiali.

– Sí, ho capito. Comunque anche per gli occhiali.

Scusa, un'ultima cosa. Ti posso chiedere cosa vuol dire multifandom?

– Qualcosa che ha molti fandom.

Sí. E fandom in che senso?

– Tipo che tu devi avere i simboli dei doni della morte, poi il tridente, la ghiandaia. Jennifer è pazzesca, no? In *Hunger Games*, specialmente nel *Canto della rivolta parte 2*. Lei è proprio il top.

Jennifer Lawrence, l'attrice.

– Sí, Katniss. La ragazza. Non esiste al mondo una cosí. Ma ti posso chiedere una cosa io?

Certo, dimmi.

– Ma i tuoi libri di cosa parlano? Non ce l'hai, tu, una protagonista tipo Jennifer, una che anche se sta da sola e ha tutti contro, lei non ha paura di niente?

Bianca

Non ho paura di niente che sia fuori di me.

È di me che ho paura.

Io sono la persona col potere di farmi piú male e non ho paura di farmelo. Dunque ho paura di me.

Sono un riccio senza spine. Sono un animale a cui hanno rotto la corazza. Viva, molle. Posso ferirmi da sola, basta niente. Tagliarmi con una foglia, schiacciarmi con un sasso che tocco appena.

Dimentico tutto molto velocemente, lo faccio per proteggermi. Non ricordo.

È stato il silenzio a farmi marcire. Per troppo tempo sono stata zitta, non volevo dispiacere a nessuno. Pensavo: se non dico niente non succede niente. Invece no. Qualcosa dentro di me ha fermentato, si è imputridito. Del mio corpo non mi interessa: è l'anima che mi rende oscena ai miei occhi. Sporca. Non faccio che lavarmi, non basta. Non serve.

Con la gatta. Passo ore con la mia gatta: è l'unico essere vivente che riesco a guardare a lungo negli occhi. Non mi chiede niente, non le spiego niente. Non mi giudica, non la temo. Mi ama gratuitamente. Stupidamente. La mia gatta è un genio.

Forse Amy Winehouse non aveva una gatta, penso. Vorrei chiederglielo. Vorrei dirle io capisco il tuo dolore,

credo di capirlo. Una persona sola ha bisogno di qualcuno
che la guardi, che la veda. Una gatta ti vede.

Non mi perdono. Di colpe che tutti mi dicono: non sono tue. Invece sento il peso del mondo sulle spalle, e io
che non riesco. Troppo insicura, fragile, esposta al vento.
Devo espiare. Mi devo punire. Di non essere all'altezza.
Di cosa? Ma come di cosa.

Mia sorella sí, ce l'ha fatta. È partita. Lei, a casa, è la
figlia giusta. Lei fa le cose, e si sa che non conta quello che
sei ma quello che fai. Lei ha avuto rispetto dei suoi deside-
ri, quel sano egoismo che ti salva. Io ho sempre fatto male
e poco. Però mi ha lasciata sola nel momento piú difficile per me. Forse è fuggita perché non voleva vivere il mio
dolore, penso. Nemmeno vederlo. Non sa essere spettatrice, mia sorella. Lei può solo essere attrice. È molto brava, molto coraggiosa, molto bella. È molto tutto. Capisco
mia madre, mio padre: una figlia come mia sorella ti rende orgoglioso. È una figlia riuscita. Ti fa stare tranquillo.

I soldi no, non li voglio. Potrei usarli per comprare qualcosa che mi fa male, lo so. Non ho sempre preso strade
buone. Sono attratta da quelle ripide in discesa, quelle in
cui non si vede oltre la curva. I soldi è meglio non averli,
quando è cosí.

Quando sento le vertigini scrivo. Con le parole ho una
relazione d'amore. Abbiamo cominciato a conoscerci da
piccole. Mio nonno mi tagliava a pezzetti i cartoni della pizza, mi dava i pennarelli, io ci scrivevo quello che non dicevo a nessuno. Poi nascondevo i miei cartoni in una scatola sotto al letto. Quando trovo la parola giusta per dire
quello che sento è una vittoria. La cerco per giorni interi,
anche le notti. Arriva, se arriva, e ci guardiamo negli occhi, ci riconosciamo. È bello. Invece altre volte ci per-

diamo. Non le trovo piú, le parole: tutto diventa buio e vuoto. Tutto è di nuovo inutile.

Di me, ho paura, quando non trovo le parole. È lí che basta niente per cadere. Una tentazione, un'occasione. Una voce che dice vieni. E tu vai. Non sai rispondere, se le parole ti hanno lasciata sola, e vai.

Domenica

IIS «Salvo D'Acquisto», classe IV, corso serale.

Tema.

Descrivi la tua giornata ideale e mettila a confronto con un giorno reale.

Svolgimento.

Mi chiamo Ambra, ho ventidue anni, sono operaia stagionale alle Tre Marie. La mia giornata reale si svolge che alle cinque e trenta inizio il turno. Sono al reparto confezioni, sigillo le scatole. Non è difficile, dopo i primi due giorni hai imparato. In fabbrica non parlo quasi mai con nessuno anche a causa del rumore, ma soprattutto della concentrazione. Non è difficile, come ho detto, ma non si deve sbagliare e bisogna restare attenti sulle mani. Quando finisco il turno torno a casa, aiuto mia madre nei lavori, alle sei vengo alla scuola serale per prendere il diploma che mi serve se voglio fare un altro lavoro che non sia operaia stagionale alle Tre Marie. Almeno spero. Perché comunque se mi prendessero fissa in stabilimento io accetterei, ma c'è sempre una scusa dietro l'altra e si lavora solo a Natale e a Pasqua. Soprattutto le donne, gli uomini lavorano anche il resto dell'anno. Non tutti, solo molti. Quando ho finito la scuola serale torno a casa e ceno. Il

venerdí sera e il sabato sera viene il mio ragazzo che cena
con noi, poi vediamo la televisione. A volte la domenica
andiamo a fare una passeggiata, se è bel tempo e se non
ho lo straordinario. Poi lui torna a casa dai suoi genitori,
ma prima mi accompagna.

La mia giornata ideale è sempre una domenica, però in
una casa mia dove io e il mio ragazzo stiamo insieme. Siamo noi che ci svegliamo e lui mi dà un bacio. Poi io vado
a preparare la colazione e la mattina faccio la donna di casa. I mestieri, il pranzo. Il pomeriggio andiamo al parco
a passeggiare se è bella stagione. Se invece è una domenica d'inverno andiamo al centro commerciale. A me piú
di tutto piace stare al centro commerciale in compagnia di
qualcuno. Tipo mia madre o il mio ragazzo. Il centro commerciale mi piace perché c'è vita. Senti le persone tutto
attorno, le vedi che camminano, anche se ci sbatti contro
e chiedi scusa va bene, le senti che parlano fra loro. Le
persone sono la cosa piú importante. Dovrebbero essere
ovunque. Poi la sera faccio una doccia, metto il pigiama e
andiamo a dormire. Sempre col mio ragazzo. Se al centro
commerciale abbiamo preso un film a noleggio lo vediamo se no ci accontentiamo di quello che dà la tv, perché
tanto qualsiasi film è bello se lo vedi insieme alla persona
a cui vuoi bene. Comunque, la giornata davvero ideale è
quella dove alla fine del pomeriggio vai al multisala lí del
centro commerciale, e vedi un film al cinema insieme a
tutte le persone. Anche se fanno i commenti ad alta voce
e non riesci a sentire il film. A me, come ho detto, i posti
con molte persone mi piacciono di piú. Mi sento sicura.

Niente di che

È la legge che è sbagliata, non io. Io non ho fatto niente di male a nessuno, anzi. Se penso a quanti regali ho fatto, quanti amici ho portato a cena fuori, nei locali. Quello che avevo era di tutti. Alla mia migliore amica prima di venire qui ho comprato il telefono che voleva, gliel'ho fatto trovare in una borsa di Jimmy Choo. Ho fatto stare bene la gente, sempre. Sono fiera di me. Ho sempre fatto quello che volevo. Macché obbligata, la mia specialità è sempre stata dire di no. Quando fai la stronza ti vengono tutti intorno, è una regola. Anche da piccola ero cosí: testarda. Dicevano che ero capricciosa, invece è diverso: ottengo quello che voglio. Poi quando ce l'ho lo divido, tanto a che servono i soldi se stai da sola? La cosa piú bella è aprire il portafogli e pagare per gli altri. Ti senti una regina. E dunque? Qual è il problema? Mi tengono qui nella casa famiglia solo perché sono minorenne, perché la legge dice cosí: se sei minorenne non sei libera. Mi mancano due anni. Un sacco di tempo. Due anni buttati. Ma appena ne compio diciotto esco e mi rifaccio una vita. A casa di certo non ci torno. Mia madre non la voglio piú vedere nemmeno da lontano. È una poveretta.

Mery dove hai preso questi soldi, mi ha chiesto. Intanto non si fruga nelle borse degli altri. Che te ne frega, ho detto io. Sono tanti, dove li hai presi. Che palle. Non so-

no tanti, sei te che sei una morta di fame. Sono stanca di
voi, me ne voglio andare.

Quella volta ha chiamato mio padre, mi volevano togliere
il telefono e anche il computer se non dicevo da dove venivano i soldi, strillavano, allora gli ho detto che li avevo
guadagnati a fare la hostess al *Diamante*, giú al Lido. Non
le dico mai le bugie ma quella volta ero obbligata. Mi hanno detto non vai a lavorare senza dircelo, sei minorenne.

È lí che hanno cominciato col ritornello della minorenne. Mi controllavano. Andavano tutte le settimane a parlare
coi prof ma quelli dicevano va bene, a scuola. Provavano a
entrare sul mio Facebook la notte. Poi hanno deciso che non
potevo uscire il sabato, e allora dovevo per forza scappare.
Sono andata a stare da Clara. Però ho fatto chiamare da
sua madre, erano capaci di avvisare la polizia: è qui da noi,
lunedí le porto a scuola io le ragazze – ha detto la mamma
di Clara che è una tosta. Mi piace un sacco la mamma di
Clara. Ma niente, sono venuti a prendermi. Allora mi co-
stringi. Allora devo fare tutto di nascosto. Tanto poi alla
fine l'unica cosa che gli interessa è se vai bene a scuola, e
io a scuola sono brava. Avevo otto in matematica in pa-
gella, l'anno scorso, prima che mi portassero qui. Ora no,
non mi frega piú niente di studiare. Studiavo perché era
solo quello che volevano per lasciarmi in pace: i bei voti.

Sai a me che me ne importa di avere bei voti. Tanto
che ci faccio con la scuola. Mica ci trovi un lavoro, se vai
bene a scuola.

Io non lo so voi dove vivete. Io le vostre domande non
le capisco. Vi sentite tutti scienziati. Anche il giudice,
quella donna: mi trattava come una deficiente, faceva la
vocina, mi diceva a me puoi dirlo, chi ti ha costretta. Ma
costretta cosa? Costretta chi? Io se ho bisogno di cinque-

cento euro li guadagno in un pomeriggio, poi se ne riparla quando li ho finiti. Non ci vuole niente, non mi costa niente: rispondo a un messaggio, fisso l'appuntamento, mezz'ora e fatto. No che non mi sento male. Male ci si sentiranno quelli, piuttosto, no? Quelli che ti chiedono, ti implorano, ti ubbidiscono. Quelli stanno male, non io. Io, quando li vedo, penso sempre un po': poveretti. Ma poi neanche ci penso, guarda. Se mi pagano, qual è il problema. Tutti pagano. Tu se vai a fare la spesa non paghi? Se devi prendere un aereo non paghi? Io veramente non lo capisco perché se faccio a qualcuno quello che vuole in cambio dei suoi soldi allora devo stare in casa famiglia. Ma perché, quando vai dal dentista?

Meno male che qui mi hanno lasciato il telefono. All'inizio me lo avevano tolto. Ci ho pianto. Non piango mai, ma il telefono no, ho detto: è mio, non me lo potete sequestrare. Proprietà privata. E nemmeno ci potete guardare dentro, è violazione della privacy. Quelle sono violenze, no? Quello sí che è ingiusto. Non sono reati quelli?

Ballare. Mi piace tanto ballare. Rihanna. Le feste, gli eventi. Un sacco di gente, un po' di alcolici eccetera. Ma solo venerdí e sabato, ci andavo. No un ragazzo no. A tredici ce ne avevo uno. Lui sedici, era del liceo. Uno molto popolare, piaceva a tutte e lui, non so perché, si era fissato con me. Nella mia scuola le medie e il liceo sono insieme, ci vedevamo in cortile a ricreazione. Siamo stati insieme otto mesi, poi basta. È successo un problema, si è messa in mezzo la preside. Lui mi aveva filmato al bagno, a scuola, mentre facevo una prova che mi aveva chiesto. Ma niente, una cosa con un suo amico. Io ero d'accordo, al video. Cioè la prova era questa: fai cosí io ti filmo, se

vuoi davvero stare con me dimostramelo. Ho detto ok,
ho fatto come diceva. È andata bene, mi ha detto bravissima. Il pomeriggio ci siamo visti in piazza, era coi suoi
amici, era contento. Anche io ero contenta, allora lui mi
ha indicato un altro amico e mi ha detto Mery domani ti
aspettiamo. È andata avanti cosí per un po'. Se volevo essere la sua ragazza dovevo diventare amica di tutto il suo
gruppo. Poi però uno di loro ha postato il video, quello
del primo giorno, è finito non si sa come nel gruppo della
mia classe. Una madre ha avvisato la preside, è successo
un casino. I miei mi volevano cambiare scuola. Io no, volevo restare con lui. Però gli altri genitori si sono messi in
mezzo e alla fine mi hanno ritirata. Lui non l'ho piú visto.
L'ho cercato per un po' ma non mi rispondeva piú. Sono
andata in fissa, poi per fortuna ho conosciuto Clara. Lei
sa un sacco di cose su come sono i ragazzi. Ho imparato a
non fidarmi piú. Prima pretendono, poi ti scaricano, poi
ti parlano dietro. Pensano solo a quello, gli interessa solo
quello. A me no, il sesso non mi ossessiona. Non è niente
di che, oltretutto, di solito. Sempre la stessa roba, ripe-
titiva. I ragazzi piú grandi sono meglio. Intanto hanno la
macchina. Poi conoscono un sacco di gente, hanno le case da soli. Non stanno lí a farti la morale, anzi. Se magari
hai finito la ricarica ti dànno loro cinquanta euro. Ce n'era
uno, il cugino di un tipo che avevo conosciuto in discoteca, che mi dava cento euro ogni volta che all'uscita da
scuola passavo da lui. Ce li aveva, me li dava cosí. Ci siamo visti per un po', poi mi sono stancata. Voleva farmi le
foto, non mi andava tanto. Quando mi servono soldi me
li cerco da sola, ho pensato.

   Voglio andare a vivere a Londra. Voglio aprire un locale mio, dove si suona dal vivo. Voglio fare soldi e partire.
Devi avere un certo stile però, farti un look se no a Lon-

dra non sei nessuno. Io sono abbastanza soddisfatta del mio, ma posso migliorare. Ho fatto un disegno che voglio farmi tatuare dietro al collo. Una frase un po' dentro un po' fuori da un anello, no è una cosa segreta non la dico. È una cosa mia. Appena esco da qui metto via cinquemila euro, mi faccio il tatuaggio e vado. Cinquemila mi bastano, sí sí. Poi quando sono a Londra vedo.

Mia madre non me la nominare piú, ti ho detto. Non gli deve interessare come li faccio, i soldi. Pensi a farli lei, che non gli è mai riuscito. Ha fatto una cosa che non gli posso perdonare. Dove si è vista una madre che denuncia una figlia. Se non ti puoi fidare di tua madre allora di chi. Questa sí è una cosa che la legge dovrebbe punire. Questo è veramente ingiusto. Lo vedi che le leggi sono sbagliate? Lei, dovrebbe stare chiusa qui nella casa famiglia a fare rieducazione. Non io.

Ginevra

Ginevra, quando hai deciso di tagliare i capelli solo da un lato?

– Cosa vuoi sapere? Che giorno?

No scusa intendevo dire: in che occasione, come mai.

– Una mattina che mi girava male. Avevo avuto una discussione pesante.

Con chi?

– Con la mia ex migliore amica.

Perché avevate discusso?

– Mi aveva strappato di mano il telefono per leggere un messaggio. Del messaggio non mi fregava niente. È che il telefono non me lo strappi di mano, chiaro?

Chiaro.

– Che poi sono ansiosa, ho tutto nel telefono è per questo che lo tengo sempre in mano. Non perché sono nevrotica, come dice mia madre, ma perché mi dimentico. Se non ho il telefono mi dimentico. Quando si scarica non mi ricordo piú cosa devo fare. Mi viene l'ansia.

Hai detto che hai quindici anni, giusto?

– Quasi sedici. Che c'entra l'età?

Niente, mi chiedevo cosa ti devi ricordare.

– Ma che ne so. Che domande fai. Tutto mi devo ricordare. A chi devo rispondere, dove ci si vede stasera.

Pensavo a qualche attività pomeridiana. Impegni in quel senso.

– No, no. Già la scuola basta. Provo a dare il minimo e uscirne il prima possibile.

Dare il minimo?

– Sí, cerco di non stressarmi con lo studio. Il pomeriggio mi rilasso.

Come ti rilassi?

– Sto un po' in chat, poi magari esco. Passo da mia nonna a prendere i soldi e vado.

Tua nonna? Quanti soldi?

– Ma, quei venti, quei cinquanta. Dipende.

Cinquanta euro sono tanti per una sera. A cosa ti servono?

– Ma che, tanto tanto sei dei servizi sociali? Sei una della polizia? Ti manda mia madre?

E poi

Sí sí, mi presento.

Mi chiamo Respizzi Esterina, ho ottantadue anni e vivo alla Zelata. Provincia di Pavia.

Non ho capito la domanda, come: spirarmi?

– Se da ragazza aveva un modello, qualcuno a cui si ispirava.

Ma guardi che io a quattordici anni sono andata a monda' il riso, non avevo tutto questo granché da spirarmi. Tornavo a casa stanca morta e cioè non è che avevo il tempo di guardare in giro, tornavo a casa e mi addormentavo sulla sedia. Poi dovevo aiutare la mamma e il papà, che avevano le mucche. C'era ancora tanto da lavorare, a casa, per mangiare.

– Che lavoro avrebbe voluto fare, se avesse potuto scegliere?

Io volevo fare la sarta. Volevo cucire i vestiti, che anche adesso mi faccio tutto io. Ma poi un giorno arrivo a casa e la mamma mi dice: lunedí vai a lavorare. Ma dove a lavorare? In campagna. Ecco questa è stata l'unica cosa brutta della mia vita. Che a me non piaceva andare in campagna. Però ci sono andata. Sí sí, eccome. Senza fiatare. Ci sono rimasta sessant'anni, nei campi.

– Esterina, si ricorda di quando si è innamorata?

Ma certo che me lo ricordo. C'era, sí sí, qualcuno che mi piaceva tanto alla Zelata. Lo guardavo e mi sentivo come se fossi salita sulla pianta piú alta che c'è.

– E cosa è successo?

Eh, dopo è andata male. E dopo mi sono sposata col Giovanni. Una persona bravissima, gentile. Sono cinquantasette anni, eh, che siamo sposati.

Smeraldi

Mia nonna è scappata dall'Iran prima della rivoluzione con due valigie. Viveva nella reggia. Sua sorella era sposata al fratello dello scià. Principi e principesse, proprio. Una cosa che quando la racconta io non riesco tanto a crederci. Sembra la *Lampada di Aladino*, una favola cosí, con le cascate di smeraldi e le fontane di miele. Ha ceduto alle insistenze e alla fretta del marito, che era fuggito in Italia pochi mesi prima coi due figli. Non c'è tempo di aspettare ancora, parti adesso, ti prego: subito. Ha messo in borsa i vestiti e i libri che aveva ai piedi del letto ed è partita. Non è tornata indietro mai piú. Ancora oggi che ha quasi novant'anni ogni tanto nomina qualcosa che non ha messo in borsa. Non gli smeraldi e le corone. Una certa vestaglia, la sua preferita. Una spazzola con le setole morbide rimasta accanto allo specchio. Della reggia non dice. Della spazzola, moltissimo.

Mia madre è per metà francese. Ha conosciuto papà all'università, studiando Medicina. Aveva un fratello minore, è morto di leucemia da piccolo. I suoi, dopo, si sono separati. Io sono cresciuta con lei. Anche i miei, quando avevo cinque anni, si sono separati. Mio padre l'ho ritrovato da grande. È capace di attenzioni incredibili. È forte. «Sua certezza», lo chiamiamo. Sa sempre cosa fare. È un medico, del resto. Salva le vite.

Ho perso una figlia. Ho una certa confidenza con la morte, è diventato un luogo domestico. La vita fa dei giri, le storie ritornano. Niente succede senza senso. Tutto trova un suo posto e ha una ragione. Per un certo periodo avrei voluto con tutte le forze tornare a un attimo prima che lei se ne andasse. Ho sognato naufragi che sembravano veri. Io sul tetto di un palazzo e l'acqua che arriva in alto, sempre piú in alto. Mi svegliavo piena di freddo. Poi ho capito. Anzi no, non ho questa presunzione. Non basta una vita intera a capire. Ma sono venuti altri attimi, dopo. Un altro figlio. Ha tre anni. Quando mi dice che bel vestito hai oggi mamma: sono felice. Sono felice con suo padre, che ha la risata piú bella del mondo, coi nostri cani, con lui. Dipingo: colori, alberi, mani. Fotografo persone che si muovono. Parlo, ascolto tutto. Sono naturalmente, di indole, piena di gioia. Poi certo piango anche molto. Ma amo quello che succede quando succede. Nulla si dimentica, tutto continua ad accadere. Penso alla spazzola di mia nonna, spesso. A come doveva essere. A quello zio bambino, ammalato nel suo letto. Alla ragione per cui gli altri miei nonni, dopo la morte del loro figlio maschio, non hanno saputo o voluto andare avanti. Al motivo per cui io sí. Smetto di chiedermelo, poi.

Ho appena compiuto trent'anni. Non riesco a immaginare il futuro se non pieno di speranza. Credo nelle persone, nella fiducia e nella stima che gli uni hanno degli altri. Nella fortuna degli incontri. Ho paura delle separazioni. Di mio ci metto un sorriso, e allargo gli occhi. Che sono già grandi, occhi verdi persiani – dice mia madre. Quando li allargo, guarda, diventano piú grandi della faccia. Da bambina me ne vergognavo un po'. Ora penso che siano fatti per farci entrare tutte le cose del mondo. Tutta la luce.

Parte quinta

Figli

Aspetto il mio primo figlio. Dunque sono una ragazza, no? Una ragazza di quarant'anni.

Io non capisco le donne che dicono: mio marito prima di tutto. Quelle che lasciano i bambini da soli per partire in viaggio, per seguire un lavoro, per stare con lui. Non è che le giudichi male, non è questo: proprio non capisco. Per me i figli sono la ragione della vita. E non lo dico perché non ne ho avuti. Ne ho avuti, ma non sono nati. La prima volta a diciassette anni, era troppo presto. La seconda a venticinque: lo desideravo tantissimo, ma non è arrivato. È andato via prima. Poi a trentadue, col mio primo marito. Dopo l'aborto il matrimonio è stato un disastro. Anche per mia responsabilità, lo riconosco: io volevo solo riprovare ad avere un figlio. Misuravo la temperatura, programmavo, anche se non glielo dicevo in cuor mio avevo quell'obiettivo, un bambino. Lui al principio mi è stato accanto, lasciava fare, addirittura sembrava complice. Poi è finita l'allegria. Non ridevamo piú, non facevamo piú l'amore per il piacere di farlo. Di stare bene insieme, durante l'amore e tutto intorno. Questo è sempre stato un po' il mio problema, da un certo momento in avanti. Mi sono resa conto che gli uomini con cui avevo una storia li scrutavo sempre come potenziali padri. Il desiderio sessuale era come vincolato all'obiettivo della maternità. Quando arrivava, o quando non riusciva, il desiderio spariva.

Mia madre è una psicoanalista. Mi ha avuta a vent'anni, ragazzina. I miei si sono separati quando avevo tre anni. Da piccola mi vergognavo di dire che i miei erano separati. Allora non era cosí frequente. Quando mi chiedevano, a scuola, quasi mai lo dicevo. Mio padre ha avuto altri tre figli da tre donne diverse. Siamo quattro fratelli di quattro madri. Mio padre lo adoro. È un uomo bellissimo. Simpatico, forte, seduttivo. Un po' faticoso forse. Ma libero. Mia madre no, mia madre è seria, internamente severa. Dipinge, suona. Non ha avuto altri figli né, che io sappia, altri uomini. Certo li avrà avuti, ma non li ho mai conosciuti. Da bambina, quando ha cominciato a lavorare a casa, la imploravo di lasciarmi entrare nel suo studio a sentire cosa le dicevano i suoi pazienti. Ero gelosa, curiosa. Le dicevo mamma, mi metto dietro la tenda, sto zitta e ferma. Non mi ha mai lasciata entrare. Se io dovessi dire, adesso che aspetto una bambina, che modello vorrei essere per lei direi, a dispetto di tutto: come mio padre. Vorrei essere libera, i genitori devono vivere bene, felici, essere un esempio di coraggio. Il coraggio delle scelte anche dolorose, perché alla fine quello che conta non è la coerenza, è la libertà.

A me il sesso in sé non interessa. Ne ho fatto tanto, con tanti. Sono stata anche una buona amante, credo. Disinibita, senza tabú. Però vedo bene ora che era una strada – questa – per arrivare allo scopo. Avere i miei bambini.

La differenza fra gli uomini e le donne è che quando si litiga gli uomini si addormentano e russano, le donne stanno tutta la notte a ripensare a quello che è successo. Un tradimento, per esempio. Io penso che un tradimento si può sopportare solo se non si dice. Non ci può essere condivisione. Bisogna che chi tradisce si porti il peso del silenzio. Se la veda con sé stesso. Oppure prenda una decisione. È cosí difficile prendere una decisione? Cosa c'è di tanto difficile, qual è la remora? Paura, di cosa? O vai, o resti.

Sono rimasta incinta dopo un calvario di terapie. Non mi sono arresa. Ho portato sul corpo il peso di pratiche dolorosissime. Adesso ho quello che ho sempre desiderato, la mia bambina nascerà fra tre mesi, ma sono rimasta sola. Bruno, il padre, non ce l'ha fatta a restare. Non riusciva piú a toccarmi, dopo ogni tentativo di fecondazione. Come se fossi fragile, di vetro. Poi con la gravidanza, quando si è consolidata, sono stata io a dirgli va bene: se vuoi andare vai. Capisco che non sono la donna che un uomo può volere accanto. Non suscito il suo desiderio, dunque in nome di che cosa dobbiamo stare insieme. Della figlia che nasce? Ma la figlia sarà nostra comunque. Siamo molto amici, a me piace quello che fa, mi piace com'è. Sarà un buon padre. Andrà tutto bene. Però lui ha il diritto di avere una vita piena, una vita di passioni. Io sono qui, sono contenta cosí. Sono felice, anzi.

Angelica. La chiamerò Angelica. Mi ricordo che all'asilo mi piaceva tanto un bambino brasiliano che diceva «ho una colla rossa che fa stare insieme le persone». Volevo vedere la sua colla. Rossa, addirittura. Ci siamo fidanzati. Mi dava dei baci e diceva vedi, questa è la nostra colla. Avremo una bambina e la chiameremo Angelica.

No

Eleonora, tu vuoi avere figli?
– No.
Perché?
– È un'idea che mi spaventa.
Cosa ti spaventa dell'idea di avere un figlio?
– Il padre.

Migliore amica

Vivo con mio padre da quando avevo tre anni. E con
la mia nonna paterna, che sta a casa con noi. Mamma ha
avuto altri due figli, dal suo secondo matrimonio. Tommaso e Carolina, sono piccoli. Sei anni, e dieci. Sono belli, allegri. Ci somigliamo molto. Vivono in un'altra città,
loro. Vivono a Napoli, coi loro genitori. Con il loro papà
e con la mia mamma.

– Non ne puoi fare una questione di soldi, Elena. Ti sto
parlando di nostra figlia. Non importa se il treno costa.
Devi venire questo fine settimana, e basta.
– Non è il treno. Tommaso ha la varicella, non ho nes-
suno a cui lasciarlo. Non posso permettermi una baby-sitter
per due giorni, lo sai. Portala tu, ti prego.
– Vuoi che porti Miriana a rischio di farle prendere la
varicella?
– L'ha già avuta.
– No, Elena. Non l'ha avuta. Ti confondi di nuovo con
Carolina. Miriana non ha avuto la varicella. E poi lei in
quella casa non vuole venire, vuole stare a casa sua.
– Ti prego, Ettore.
– Tu preghi sempre e poi fai come ti pare. Se vuoi vedere tua figlia vieni, la porta è aperta. Vieni quando vuoi,
organizzati. Però non ci coinvolgere con i tuoi problemi,
sono già abbastanza i nostri.

– Non la porti, allora?
– No, non la porto.

Della sera che sua madre andò via da casa Miriana con-
serva un disegno, dice che quel disegno è il suo ricordo.
I suoi genitori litigavano nell'altra stanza – dice. Lei era
a letto. Si alzò, andò alla piccola scrivania con le zampe a
forma di mammut e disegnò una principessa che volava.
Eccola, guarda. Una principessa col cappello a forma di
cono, sospesa sul tetto di una casa. Tutti dicono che a
tre anni sei troppo piccola per ricordare, ne sono passati tredici, è impossibile. Però Miriana dice che si ricorda
benissimo del pennarello blu che non funzionava bene, e
infatti vedi che qui il bordo del vestito quasi non si vede
piú, il pennarello era secco e me lo sono messo in bocca
per bagnarlo, infatti qui vedi funzionava di nuovo, e poi
la mattina avevo la lingua tutta blu e quando mio padre
mi ha svegliata per portarmi a scuola mi ha detto ma cosa
hai fatto alla bocca, andiamo subito a lavarci.

Mia madre ha fatto la scelta giusta. È stata coraggiosa. È il mio esempio. Anche io vorrei essere come lei, essere capace di avere la forza di superare una perdita, di
andare avanti, di scegliere quello che è bene. Mia madre
aveva un fidanzato, prima di conoscere mio padre, che
è morto in un incidente stradale. Lo amava moltissimo.
Me ne ha sempre parlato come di una parte importante
della sua vita, mi ha fatto vedere le foto, è come se lo co-
noscessi. Federico, si dovevano sposare. Io non ce l'avrei
fatta, non ce la farei. Lei invece è forte. Ha conosciuto
mio padre, sono nata io, ha costruito una vita nuova. Però
dopo un po' ha capito che stava sbagliando, che non era
la vita giusta e ha avuto la forza di riprenderla in mano

per la seconda volta, e di partire. È andata dove poteva essere davvero felice, e pazienza se non aveva niente. Né soldi, né lavoro, né niente. Ha ricominciato tutto da capo. Non poteva portarmi, perché non avrebbe potuto mantenermi. Me lo ha spiegato tante volte. Lo capisco. Ha fatto il mio bene, e le deve essere costato tantissimo lasciarmi. Però ha deciso quello che era meglio per me. Io la capisco. Anche io ho subito una perdita. No, non una morte. Sono stata abbandonata dalla mia migliore amica. Ho sofferto da morire. Mi ero fidata di lei, mi ha delusa. Scusa se piango. È proprio che non ci posso credere che mi abbia lasciata.

– Come va, mangia?
– No, Elena. Non mangia. Non parla nemmeno con mia madre. La professoressa di italiano ci ha convocati. Dice che ha scritto nel tema che la sua migliore amica è morta in un incidente stradale. Hanno solo litigato, non capisco perché scriva che è morta. Tu le hai parlato?
– No. Non risponde ai messaggi, nemmeno su Facebook.
– Elena, ma quale Facebook? Lo vedi che sei infantile? Di cosa parli?
– Guarda che Facebook è importante. Noi condividiamo tutto su Facebook.
– Sí vabbè, comunque che fai: ci vieni al colloquio? È martedí alle undici. Ah non puoi. Ho capito. Il treno, sí. Vorrà dire che ci vado da solo.

Io la credevo diversa. È questo che mi fa piangere. Non la rabbia, la delusione. Io non mi fido mai delle persone, ma quando mi fido è completamente. Lei mi ha lasciata per un'altra migliore amica, e si è messa col mio ragazzo.

Come si può fare una cosa del genere? Come si può nello stesso momento toglierti l'uomo che ami e sparire?

– Vuole andare al concerto di Tiziano Ferro.
– Mandala.
– È a Bologna, non la posso accompagnare e da sola non può andare. Piange. Dice che quella è la colonna sonora della sua vita, che non possiamo impedirle di andare.
– Lo so, ho letto tutti i post. Mandala. Io magari porto Carolina e la raggiungo. Una pensioncina a poco, a Bologna, ci sarà.
– Ma quale pensioncina, Elena. Ma ti pare che mando Miriana da sola in una pensioncina? Ha sedici anni, te lo ricordi?

Io a Tiziano Ferro vorrei chiedere come fa a dire tutte le cose che penso. È un uomo buono, come mio padre. Secondo me gli uomini in generale sono piú buoni delle donne. Sono piú semplici, meno furbi, piú buoni. Le donne programmano tutto. Rebecca io pensavo che fosse mia amica invece aveva fatto i suoi calcoli. Io non sono capace. Mi sento piú maschio, in questo. Infatti il mio ragazzo, il ragazzo di cui ero innamorata e forse un po' sono ancora, è molto timido. Lui secondo me mi ha lasciata perché non se la sentiva di prendere un impegno cosí grande. Sono io che ho sbagliato. Gli ho chiesto se voleva restare per sempre, e l'ho spaventato. Ora lo so. Non farò piú questo errore. Non di pensarlo, perché lo penso, ma di dirlo. Certe cose non si devono mai dire. Però l'amore, secondo me, è questo. Esserci sempre. Esserci, e basta. L'amore è quando una persona diventa l'abitudine di un'altra e non si può piú stare senza. Cioè si può, ma si soffre tantissimo e allora è meglio pensare che è morta, quella persona. Bisogna andare a vivere in un'altra città, quando è così. Io, quando avrò diciotto anni, voglio andare a vivere lontano. Tipo Bologna, per esempio. Manca poco. Devo solo resistere.

Un ponte

Un ricordo d'infanzia? È un ricordo di paura, posso dirlo lo stesso?

Ero piccola, avrò avuto quattro o cinque anni. Ma forse meno, perché ero ancora legata nel seggiolino, dietro in macchina. Mio padre guidava e mia madre era seduta accanto a lui, davanti. Ero addormentata e quando mi sono svegliata lui stava urlando. O forse mi sono svegliata perché stava urlando. Vedevo le sue mani che si alzavano insieme e poi si riabbassavano sul volante, lo colpivano come pugni a mani aperte. Non capivo quello che diceva, sembrava che parlasse una lingua straniera. Mi ricordo di aver avuto paura perché mio padre parlava un'altra lingua. Perché la macchina correva velocissima, non come di solito, e non facevo in tempo a riconoscere niente fuori dal finestrino: le case scappavano via. Mi faceva paura il silenzio di mia madre, un silenzio sconosciuto. Poi lui ha detto a un certo punto: «Adesso ci buttiamo giú da quel ponte cosí la facciamo finita».

Non dimenticherò mai quella frase. Ho avuto la sensazione che per lui era come se io non esistessi, in quel momento. Lo avrebbe fatto davvero, di buttarsi dal ponte, lo avrebbe fatto contro di lei. Io non potevo fare niente: né far tacere mio padre, né far parlare mia madre. Ma la cosa peggiore di tutte è che anche se mi sentivo prigioniera, legata al seggiolino, schiacciata dalle urla e impotente – mi sentivo come mia madre – da qualche parte dentro di me pensavo che mio padre avesse ragione. Non me lo so spiegare, ma stavo con lui.

Soldi

Atena, una ragazza non parla di soldi. I soldi sono una cosa da uomini.

Mia nonna mi diceva cosí.

Le donne della mia famiglia non hanno mai toccato i soldi. Non li hanno mai contati, non se ne sono mai occupate. Non ho mai sentito domandare: quanto costa. Non le ho mai viste pagare. Non li avevano: ne disponevano. Come dello spazio e del tempo. I soldi – nei miei pensieri di bambina – non stavano neppure materialmente dentro la nostra casa. Li teneva mio padre da qualche parte fuori: forse nel granaio, o nella serra. Nascosti. A volte comparivano in uno scambio di attimi tra le sue mani e quelle del fattore. Altre volte qualcuno accennava, a tavola, a qualcosa da acquistare – un cavallo per me, quando ho compiuto dieci anni, propose la mamma – senza tuttavia mai nominarli. Venivano tenuti fuori dalla vista e dai discorsi. Qualcosa di illimitato e indecente. Indispensabile ma sporco. È da quando sono piccola che i soldi mi fanno schifo, e chi ne parla.

Mia nonna e mia madre erano identiche. Avevano quella pelle, quegli occhi blu. Quelle mani dipinte, fatte per suonare il piano e per adagiarsi una sull'altra in grembo. Bellissime, veramente. Donne bellissime, di giunco e d'acciaio. Mio fratello piú grande somiglia a mia madre, io no. Io ho il viso quadrato i capelli ricci e la pelle scura che si abbronza subito, come mio padre. Per questo mi hanno sempre imposto i cappelli, da piccola. Non dovevo prendere il sole. Anche la pelle scura, come i soldi, è una cosa da uomini. Mio fratello sembrava una ragazza. Io no.

A quattordici anni mi hanno mandata a studiare a Bologna. A quindici mi sono innamorata del mio professore di piano, Paolo, che ne aveva quasi trenta. A sedici abbiamo fatto l'amore. Sul divano rosso dell'aula di musica, il piú bel posto del mondo. A Natale, quando per le vacanze sono tornata a casa in campagna, ho annunciato che mi sarei sposata con lui. Anche mia nonna si era sposata a sedici anni. Ho detto infatti: anche tu, nonna, ti sei sposata alla mia età. Lei, che era già cosí debole e si alzava di rado, solo nelle occasioni solenni, mi ha fatto uno strano sorriso. Mio padre ha sostenuto lo sguardo di mia madre in silenzio. Nessuno ha detto una parola. Solo mio fratello si è voltato verso di me e mi ha detto sottovoce, come uno schiaffo dato di nascosto: il professore di piano, un poveretto. Un uomo senza soldi non vale niente, no? Li ho odiati tutti, li ho sempre odiati. Sono stata felice quando mi hanno mandata via da casa. Mi sentivo una guerriera. Ero fiera di me, sola e fiera. A gennaio sono entrata in collegio a Firenze. Paolo non l'ho visto piú. Scrivevo, e non mi rispondeva. A luglio, quando sono tornata a casa, mio fratello mi ha detto: lo hanno trasferito, non sta piú a Bologna, è andato a vivere lontano non so dove. Sorrideva. Mi sono ammalata. Ho passato l'estate in camera mia. A settembre sono tornata a Firenze. Di quell'inverno non ricordo quasi niente. Ho finito il liceo, ho compiuto diciott'anni, a giugno sono tornata in villa per il funerale di mia nonna, a luglio sono partita per l'America.

In quattro anni i miei genitori non sono mai venuti a trovarmi e io non sono mai tornata. Mio padre, prima che partissi, mi aveva detto: avrai tutto quello di cui hai bisogno, un bonifico mensile coprirà tutte le tue spese a condizione che tu avanzi negli studi e finisca nei tempi. Ho lasciato l'università dopo tre mesi. Sono andata in Canada per seguire un maestro di sci conosciuto in un pub, a Boston. Ricky. Ho vissuto con lui, quell'inverno. Accompagnando un gruppo venuto a fare sci alpinismo ho incontrato Matthew, che insegna Fisica all'università di Winnipeg. Mi sono trasferita nella sua casa nel campus. Sono stati due anni belli. Matthew è molto piú grande di me, già allora aveva quasi sessant'anni. Era felice che tornassi la sera a casa da lui, ma voleva che fossi libera: tu esplora, Atena – mi diceva. Ci sono stati molti uomini, in quel periodo, e poi una ragazza. Quando ho detto a Matthew di Alicia lui mi ha detto: lo sapevo, stavo aspettando il momento, è stato un regalo il tempo con te. Con Alicia sono tornata in America, New York. Voleva subito sposarmi, mi sono un po' spaventata. Voleva una famiglia, mi pareva presto. Ho cominciato ad aver bisogno di soldi, a lavorare qua e là nei locali. Tornavo stanchissima la notte. Mettevo i suoi vestiti, le sue scarpe. Lei mi ha trovato un piccolo incarico al suo centro di cultura yoga: un lavoro di contabilità, non molto eccitante certo, ma almeno era di giorno. Ho cominciato a praticare anche io, mi sono molto appassionata, nei weekend mi iscrivevo spesso ai seminari. Una domenica, per uno scambio di corsi fortuito, ho conosciuto Tommaso.

Tommaso è un maestro di yoga meraviglioso. È stato un attimo, l'amore: una scossa elettrica. Uno sguardo, poi la mano che si poggia sulla spalla per correggere un movimento: era già successo tutto. Dopo qualche settimana mi ha detto: torniamo, Atena. Torniamo in Italia e apriamo una scuola nostra. Ho chiesto ad Alicia di venire con noi, lei ha detto va bene, il tempo di chiudere casa e andiamo. Siamo partiti tutt'e tre. Bergamo, la città di Tommaso. È stata dura. Abbiamo resistito otto mesi, i pochi soldi sono finiti subito ma non c'importava, dei soldi: non è questo che conta ci dicevamo sempre. Un giorno ho chiamato mio padre. In fondo – ho pensato – magari ha voglia di sapere come vivo, magari ci aiuta. È venuto a trovarmi. Quando ha visto la casa, noi tre, la stanza attrezzata a palestra non si è neppure tolto il giaccone. Mi ha detto parliamone fuori. Siamo andati al bar dell'angolo, c'era il rumore forte dei videogiochi. Mi ha staccato un assegno, era la prima volta che mi metteva in mano dei soldi. Cinquemila euro, moltissimi. Mi ha detto: puoi scegliere. Se resti qui non chiedermi piú niente, mai piú. Se torni la tua casa è aperta. È ripartito per l'aeroporto con un taxi. L'ho visto l'ultima volta all'angolo di quel bar, dietro al finestrino.

Dopo la morte della nonna i miei si sono separati. Non so piú niente di mia madre. Non chiamo, non mi chiama. Alicia è tornata in America, dice che possiamo andare da lei quando vogliamo. Ho provato ad amarvi entrambi, mi ha scritto, ma tu la verità la conosci: è solo con te che sono felice. Io e Tommaso ce la caviamo, ci basta pochissimo per vivere. Mio padre lo sento al telefono ogni tanto. Ha una nuova compagna che non conosco, aspettano un bambino. Da quando ho avuto la notizia del nuovo figlio, è strano ma è cosí, ho cominciato a pensare che anche io vorrei averne uno, adesso. Ne ho parlato con Tommaso, dice che sarebbe bello ma non possiamo permettercelo. Ha ragione. Quello che guadagniamo non ci basta per pagare le spese della casa. Ho ripreso a fare la cameriera la sera, pagano pochissimo e al nero ma va bene, sono quei trecento euro che servono. Però questo pensiero del bambino non mi lascia.

Penso sempre a mia nonna, al suo profumo sottile, alle sue mani sul piano. Era buona, mia nonna. Non si dava il permesso di abbracciarmi ma io lo so che avrebbe voluto. Aveva la voce gentile, con me. Anche un piano vorrei, per suonare. Tommaso per Natale ha comprato una tastiera elettronica ma non è la stessa cosa. Comunque al pianoforte posso benissimo rinunciare. A molte cose posso rinunciare, quasi a tutte.

Però un figlio non riesco a smettere di volerlo. I soldi – ecco a cosa mi servirebbero. Li userei per fare un figlio. Anche due. Ma non possiamo. Tommaso è un poveretto. Questo direbbe mia madre. Vuoi crescere un figlio da povera? La sogno, la odio, mi odio. No, non voglio crescere un figlio da povera. Poi voglio. Poi di nuovo non posso. È il vicolo cieco della mia vita. Dove vado, adesso?

Gemelli

Con mia madre mi sono scannata. Ero la figlia di mio padre. Non le somigliavo in niente. Certe volte ho pensato di odiarla. È morta che non ci parlavamo.

Ora aspetto due gemelli, maschi. Anche io sono gemella. Di mio fratello Lorenzo mia madre diceva: lui è debole, tu sei forte. Non era vero, ho pensato con rabbia tutta la vita. Mio fratello – che amo – se la cava benissimo nel mondo, io sono fragile e indecisa, piena di insicurezze.

Le femmine resistono sempre, diceva lei. I maschi hanno bisogno di aiuto. Mi faceva impazzire: è un'idiozia, le dicevo.

Ora i miei genitori non ci sono piú. La mia famiglia sono il mio compagno, mio fratello. Saranno i miei figli. Tutti maschi.

Sempre piú spesso, ogni giorno, penso a mia madre. Mi domando, quando devo prendere una decisione, cosa avrebbe fatto lei. Cosa avrebbe pensato, cosa mi avrebbe detto. Mi manca. Vorrei un'altra donna dentro casa. Vorrei lei accanto. Anche solo per chiederle mamma, ma crescere due gemelli com'è? Come fai ad amare due? Come fai a pensare insieme a due e volerli allo stesso modo? Tu ci hai davvero, mamma, amati in forma uguale? Lei capirebbe le domande. Almeno di questo sono sicura. Le domande, le capirebbe.

Progetto

I ragazzi guardano il mondo attraverso le cose che fanno, le cose che hanno.

Le ragazze invece sono concentrate su quello che provano, quello che sentono.

I maschi vivono al presente, le femmine al futuro.

È per questo, credo, che nove volte su dieci quando a un ragazzo dici la parola progetto lui sparisce. Progetto, cioè pensiero astratto di qualcosa nel futuro. Fatal error. Doppio errore simultaneo. Astrazione, futuro. Manca proprio il file, combinazione di tasti letale. Il sistema va in blocco.

Ricreazione

Che classe fai, Alida?
– La seconda elementare.
Ci sono piú bambini o bambine nella tua classe?
– Piú bambine.
Tu hai piú amici maschi o femmine?
– Femmine. Coi maschi di solito non mi piace tanto giocare.
Come mai? Che differenza c'è fra maschi e femmine?
– La differenza è che quando finisce la ricreazione dei maschi ne troviamo sempre uno che piange. Fanno giochi che fanno piangere. Noi no. Noi disegniamo, parliamo, cose cosí. Noi quando finisce la ricreazione non abbiamo mai pianto.

Nota al testo.

Le storie che avete letto sono ispirate all'ascolto delle ragazze italiane. Dieci donne ne hanno intervistate mille, nell'arco di due anni. Siamo tutte diverse per età, professione, interessi: noi che le abbiamo ascoltate, loro che ci hanno raccontato di sé. Per mesi ho visto e rivisto cinquecento ore di riprese video: i volti e le voci delle mille ragazze sono diventati quotidiana intimità. Le conosco tutte: come se fossero parte della mia vita, e lo sono.

Giornate, mesi di lavoro – in una stanza affollata di mezzi di ripresa, taccuini e tazzine di caffè – insieme a Paola, Martina, Esmeralda, Silvia, Francesca, Manuela, Sofia, Giulia, Lavinia, Chiara, Chicca, Veronica e le ragazze che via via si sono unite: Emanuelle, Beatrice, Elisabetta, Irene, Shirin, Costanza, Raffaella, Valentina. Le intervistate e le intervistatrici insieme. La ragazza che vedete in copertina è una di loro, Fotiní. Sono stati due anni magnifici, e sono solo l'inizio di un'esperienza di lavoro condiviso, aperto e per questo invincibile della quale non cessiamo di ringraziarci a vicenda.

Le clip di oltre quattrocento delle mille interviste sono on line, una al giorno, sul sito di «Repubblica.it», un progetto di documentario per il web. Centinaia di migliaia di persone lo seguono e mandano a loro volta video, lettere: una comunità viva, che cresce.

Questo libro è un'opera di narrativa che attinge dalla realtà ma si apre alla libertà di immaginare, da un dettaglio, vite e mondi. Ciascuna delle cinque parti prova a tenere in evidenza una nota dominante, uno dei tanti colori di cui ogni voce, ogni vita, è composta.

Indice